序

一個女人「悼念」愛人離世的題材，其實並不好寫。

記得年前看了一齣法國片，名《枕邊謎（Under The Sand）》，看後一直忘不了那故事由頭到尾流露的淡淡哀愁。感人、分離、訣別，原來不用聲嘶力竭和哭斷腸；反而淚向肚中流，時而哀傷，時而痛入心扉，淡然的，不着迹的，才是最漫長、最沒法割斷、最蕩氣迴腸的回報——

這才是眞正的哀悼。

要用上多少年的光陰才能把一個人給徹底忘掉？世上沒有最標準的尺。問題是，有很多人，往往沒法走出自己的霧，「明知」他不會也不能回來，她一樣苦等，美其名是守候，眞相是，她知道這是不能避免的——悼念。

嚴雅亭就是爲了要走完一場悼念，令她沒法擁有圓滿的愛情。她才那麼年輕，卻已比別人走得更遠更蒼涼。

她抓不住趙爾遠。然後，韓進出現了，她再次讓他擦身而過，是狠心，還是迷失？

對這麼過分忠誠又那麼愚蠢的女人，你會向她抱憐憫之心嗎？

他的名字	現況	未來	愛她的濃度
趙爾遠	拋棄她，出走	失蹤	35／100
韓進	討厭她，深愛她	出走	Indefinite／100

無論選擇哪一位，愛情之於嚴雅亭，注定是一場不好走的苦戀。當中有他（們）的錯，更有她本身的錯。或許，要愛得幸福，真的要放下執著。

目錄

第1回 遠去

嚴雅亭認定無法尋回趙爾遠的屍首是上天的心意，她用了兩個月的時間平復情緒。心內跟他約定必會重逢，只因，

男的曾跟她說：

「你不要難過，將來要是我鳥倦知還，要是我對你仍有所眷戀，我一定回來，再回到你的身邊。」

忘記一個人，有三種方法。第一種是「一哭二鬧三上吊」，重點在於分手的過程，盡情地大吵大鬧發泄情緒，目的在於讓對方知道，分手的罪魁是對方，不過這通常都不會有好結果，但自己總算挽留過。第二種是最體面的，那就是扮作若無其事，然後趕快另找新的愛人，忘記過去。第三種是最極端的，就是乾脆當對方已死去，只可惜這方法，對嚴雅亭而言，也確實是一件「事實」。

趙爾遠一年半前決定跟她暫停情侶關係，想跟隨生父當年冒險的蹤迹，獨自遠赴秘魯。嚴雅亭讓他去，其實也是無可奈何的事。表面看，他們分開跟第三者完全沒關係；不過，趙爾遠這不尋常的決定，令嚴雅亭無所適從，她寧願他是爲了另一個女人而暫別她，這樣，她可以明白他決定分開的眞正理由，縱使那可能會更傷心更難過，但至少可以令自己心安理得，可以灑脫地剪斷這份欲斷難斷的感情，不再爲這辜負她的男人守下去。

秘魯，一個常常看到的地方名，事實上卻是很遙遠很遙遠的國度。秘魯位於南美洲，距離香港一萬八千多公里，遠至太平洋之外，是神秘、迷離和難以理解的地方，這更等同趙爾遠跟嚴雅亭兩心之距離。

趙爾遠臨走前約她見面，捉着她的手跟她說：「亭，不要難過，將來要是我鳥倦知還，要是我對你仍有所眷戀的話，我一定會回來，再回來你的身邊。」

嚴雅亭一臉木然。她的淚直向內心傾流。面對一段逆向發展的關係，以嚴雅亭冷靜內斂的個性，表面看即使毫無傷痕，但委實已倦得太怕面對他，也可能是害怕失去他怕得太累了，終於不再堅持，小聲的跟他說：「就讓你走一趟吧……」

這一句是她跟他臨別的最後一句話。

半年後的七月二十五日，嚴雅亭在工作的時候看到了一則國際外電，說一名廿七歲的香港男子在秘魯首都利瑪以西的市郊卡亞俄港口已失蹤近兩星期，但找不到屍首，只剩下隨身物品，包括錢包和墨綠色背包。

嚴雅亭仍清晰地記得，當時的驚恐如幾億隻螞蟻爬滿一身，明明快要入廠報播新聞，卻沒法站起來，直到同事發現，他們才看到淚流滿臉的她，雖然沒有嚎啕大哭，但身子不斷地抖動。誰都知道，她整個人已陷於崩潰中，已全面陷於無以名狀的哀傷中。後來，同事再細看外電，他們方才知道「在秘魯發生意外的香港男子」已幾可肯定是嚴雅亭的男友趙爾遠……

日子還是一天一天的過去。由濃轉淡、自近而遠的一份感情，就在他們介乎分手的狀況下倏忽終止。嚴雅亭一時之間不太掌握到，到底要以什麼身分來哀悼他的離去。但這其實毫不重要，就算是一位普通朋友客死異鄉，相識的人也可以名正言順地大哭一場，更何況趙爾遠這人的個性一直是這麼的和順、心地善良和正直。

在確認趙爾遠出事後，她打起精神來爲他做最後一件事，陪同他的母親前往秘魯辦理身後事。縱使在他的屍首仍沒有被發現的情況下，大家仍去辦理他的身後事。由於趙爾遠已失蹤了超過一個月，當地政府、香港政府以至他的家人，只好認定他已經沒有任何生還機會。

就在趙爾遠正式被認定「已死去」的三個月後，趙爾遠的家人讓嚴雅亭拿走所有找到的遺物。她抱着它們回家，把墨綠色的軍用背包打開，裏面只有零碎的紙張、雜物以及錢包。她找來找去再也找不到，從前送給他那鑲嵌了金線的黑色硬皮日記本。嚴雅亭猜想，趙爾遠在「失蹤」前的最後一刻極有可能正在寫他對她的感覺。

天意弄人，對她那麼重要的日記本，竟然就這樣跟隨他一同消失了……

配樂　Coldplay《42》

Those who are dead
are not dead,
they're just living in my head.
And since I fell, for that spell,
I am living there as well.
Time is so short
and I'm sure,
there must be something more.

她認定無法尋回趙爾遠的屍首是上天的心意，心裏跟他約定：「我倆會

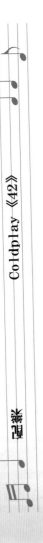

有機會再相會的。」

嚴雅亭用了兩個月的時間平復情緒。爲了生活，她還是回到了CEH電視台的工作崗位。就在她回來的一個月後，另一個他出現了。

第2回 進來

嚴雅亭被韓先生氣得掉頭便走。他對她剛才的傲氣、倔強得再沒有半點轉圜餘地的態度，尤其印象難忘，但他沒有生氣，他知道自己不擅長打關係，為了掩飾自卑，外表裝作自高自大，嘴巴只說令人難堪的話，多年來已成為他的「個人商標」。

韓進安靜地看着她的背影，內心默念着：「嚴雅亭……」

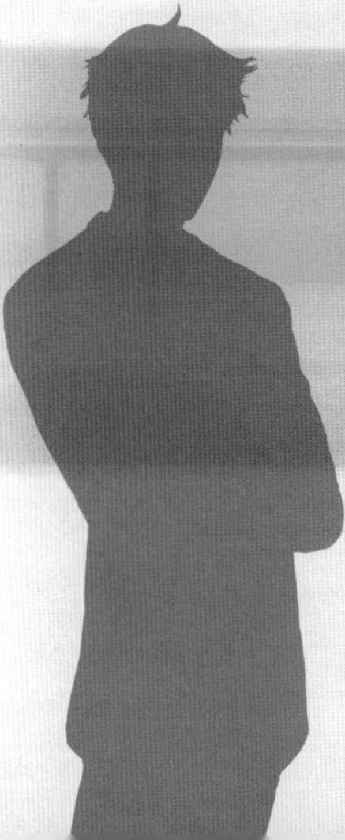

韓進，新來的監製。他是資優生，在香港念完初中便遠赴美國的西北大學攻讀電視製作，及後待在紐約的美聯社和彭博電視台工作八年。他外表比實際年齡略大，加上他的資歷，大家都猜韓進應該三十歲了，但其實他只是二十八歲。隨着他的加盟，他的外表、年紀和資歷都在公司裏掀起了一陣旋風。

不過，嚴雅亭第一次見到他，卻沒有很特別的感覺，甚至連良好的印象都欠奉，事緣二人初相見時，已險些釀成火花四濺的局面。

對於韓進加盟，公司爲隆重其事，原本安排首席主播F作迎新代表。奈何，個性自我的韓進突然提早一天上班，事前也沒有知會人事部，因此，他上班時首先到人事部辦理循例的入職手續，然後獨個兒到辦公室上班。F主播當天沒有上班，人事部唯有臨時抽調嚴雅亭代替她爲韓進迎新。

如果這帥氣的傢伙有點禮貌，對嚴雅亭來說，當個白癡的迎新代表大概也不是太爲難，可惜，韓進這人就是非常非常的高傲……及難搞。

第2回

「您好！韓先生，我是……」嚴雅亭主動走到他的房間自我介紹，還準備陪同他巡視三層的新聞部及後期製作部，結果還沒有念完自己的名字已換來他冷冷的回話：「不用了，你回去工作吧，我暫時不需要認識你，反正你的名字我也不一定記得，我也不想把時間花在跟你到處遊逛這等無聊的事情上，不送。」

他說完後，把手一揚向她下逐客令，便又低頭工作。嚴雅亭初嘗他的氣燄，但她不能無故受委屈：「我知道你有很多要事要辦，但請允許我作簡短的自我介紹，這是我的本分。」

這女生的强勢出乎韓進意料之外。他抬起頭，認眞的打量她。嚴雅亭不卑不亢的告訴他：「我叫嚴雅亭，是這裏的主播，同時也是記者，是人事部安排我今天來歡迎你。既然你不想跟我一起，那我們的迎新活動到此爲止。」輪到嚴雅亭耍酷，說完掉頭便走。

韓進仍强裝自在：「嗨，小妹妹……你是念新聞系出道的嗎？」

嚴雅亭回頭覷着他，皺着眉：「你的問題很奇怪。新聞主播跟新聞導播一樣，也是新聞從業員，你怎麼這樣沒常識呢？麻煩你以後的問題有點營養吧！」

她掉頭便走。韓進對她的傲氣、倔強得再沒有半點轉圜餘地的態度，尤其印象難忘，但他沒有生氣，他知道自己不擅長打關係，爲了掩飾，外表裝作自高自大，嘴巴只說令人難堪的話，多年來已成爲他的「個人商標」。

他安靜地看着她的背影，內心默念着：「嚴雅亭……」

韓進的才幹與冷傲的外表瞬間成爲CEH電視台裏討論的焦點，但現實歸現實，再氣度非凡、桀驁不馴的人，終究不是電視劇裏的偶像。被人家留意完了，品評完了，還不是每天要回到舞台演出那詭譎風雲的戰爭劇？

對。韓進這個人滿有才華，卻同時備受爭議。行內人說他跟電視台衆多總編、高層總是沒法融洽的溝通。但這又不能說他目中無人。該怎麼說呢？應該是他的溝通技巧，還是不夠成熟、不夠老練。

韓進對節目因循守舊的製作形式總是諸多意見。嚴雅亭是新人類，縱使很討厭這個人，心底裏某程度是挺認同他的看法。例如韓進反對濫用現場直播、反對新聞走向娛樂化；例如他非常不滿電視台爲節省成本，起用非專業的員工兼任攝影師；例如他非常反對由上月開始，新聞主播不能由記者兼任，他認爲由全無採訪經驗的人當報道員，會使新聞失去專業性……他還有很多很多的「看不過眼」，例如公司的人治作風、後期製作器材過時，都經常使他大發雷霆。

嚴雅亭爲什麼老是想着他？那當然是有原因的。基於以上的諸多不滿，導致韓進跟她的上司，包括幾位首席主播和總編輯老是不甚咬弦。

可能對他來說，嚴雅亭只是新聞界的新秀。韓進加盟電視台近半年了，嚴雅亭本職是跑前線新聞的記者，副業才是後備主播，她當然不會與貴爲監製的韓進有正面合作的機會。每次她把拍好、剪輯好的帶子送到錄影室時，總與正在準備節目的韓進不期而遇，而酷酷又高高在上的他，老是板着臉孔，看都不看她一眼（其實是假裝！）。嚴雅亭也不是省油的燈，既然這才子不苟言笑，雖然職位比他低，她也故意拉長了臉，同樣正眼也不看他一眼，更遑論會主動打招呼（他在意的！）。

直至這周日的下午，韓進輪班，正準備在這安靜的日子，在特效室專心練習一些新的後期製作軟件操作，忽然傳來了一則外電消息，指印尼峇里島出現第一宗人類感染 H5N1 禽流感死亡的個案，死者是一名二十九歲女性，居住在峇里島西部。

在周休二日，電視台通常不會有很多員工當値，像這天，剛巧就只有嚴雅亭這主播留在電視台，另外三位記者又外出拍攝專題片子。電視台不能錯過這重要的新聞，韓進決定製作號外報道，他先命令在外頭工作的記者暫時放下專題片子的拍攝工作，分頭採訪政府人員及衛生署的官員，又急召正在休假的攝影師前往配合。公司裏有一名剪片師及視訊工程部同事當值，而嚴雅亭是唯一當值的主播，他需要她的幫助，但他對她仍有點陌生，因爲二人從沒有合作過。

「你可以做些什麼？」這是韓進向她提出的第一條問題。他目光冷峻，雖然嚴小姐早已身經百戰，再震撼的場面也見識過，她第一次的外景報道便是採訪世貿會議的示威！但面對他，她仍有點戰戰兢兢。

她告誡自己，作爲主播，效率、準確性和信心是最要緊的，她絕不能因這個人的威儀而怯場！於是她强作鎮定，直截了當地回答：「我會編譯外電和剪輯美聯社的片段。」

他只冷冷的說：「不能全靠外電，外面的同事會把採訪好的片子傳回來，你要當這時段的新聞編輯，負責剪片，之後，也由你當主播。現在，你只有一小時準備。」高傲的他說罷頭也不回，逕自走進錄影廠作好準備。

也許他要兼顧的事太多，也可能他銳意訓練她，所以嚴雅亭雖然未正式當過新聞編輯也願意接受挑戰。對韓進而言，要在最突發及最短的時間內啟動錄影廠，他經驗十足，當然是輕而易舉的事。但對新秀嚴雅亭而言就有點吃力，可幸她本身也懂得剪輯影像片段，二話不說，已在四十多分鐘內準備好所有的新聞片段及寫好稿件。時間過得很快，韓進要成爲第一家發布這宗勢必轟動全港的新聞的電視台。此刻，距離要廣播的時間尚餘……

「你肯定可在五分鐘後投入狀況，把齊全的資料呈現觀衆眼前？」這是韓進向嚴雅亭拋下的第二個提問。

嚴雅亭很認眞的回答他：「這當然了，而且我化好了妝，我……」

可憐的小主播還沒有說完，該死的韓進又再次不理會她，立即轉身回到操控台上準備就緒。

這人眞的只懂擺臭臉！嚴雅亭强忍不滿，目標就是要把目前的工作做好。她趕緊走進錄影廠裏，坐好，自行戴上微型麥克風，面對鏡頭，準備就緒。

「所有片子準備好了？外電及本地？」冷不防，韓進透過通話器再問她。嚴雅亭剛戴好麥克風，抬頭盯着小熒幕裏的韓進（按：錄影廠裏的主播可透過內置的電腦畫面及熒幕看到導播）。

「怎會不備好呢？所有帶子三分鐘前已放進播放機裏了，不信可問你旁邊的助手！」嚴雅亭帶點不耐煩的回應也眞夠火的了！

「嗯。」韓進故意發問作弄她，但他依然裝酷，一臉嚴肅：「還有一分鐘，要倒數了！」

她好緊張！她緊張並不是因爲要報播新聞，而是……韓進懾人的氣勢和語調確實令她全身綳緊。這是二人的第一次合作！這次報道不是眞正的直播，而是仿直播式的錄製，因此容許NG，可能正因爲如此，嚴雅亭心理上的負擔反而少了，從倒數開始直入預錄狀態，除了在開段有一次口吃外，之後的情況就如直進大路。其實也只是十分鐘的錄影，過程已足以令嚴雅亭冷汗直流！

回想剛才發生第三句口吃的時候，她怕死了韓進的眼神！

「各位，現在有特別新聞報道，印尼衛生部今日證實，當地旅遊勝地峇里島出現了當地第一宗人類感染H1N1，嗯，H5N……」

「再・來・一・次！」這四個字就是韓進叫她重頭再來的指示！

「對不起！」

「各位，現在有特別新聞報道，印尼衛生部今日證實，該國旅遊勝地峇里島出現了當地第一宗人類感染H5N1禽流感死亡個案。衛生部官員表示，死者是一名二十九歲女性，居住在峇里島西部的一處村莊。

該女子在十二日去世，死前出現發高熱和多個器官衰竭等症狀。我們找來了衛生署官員評論這次事件，官員表示暫時沒有證據顯示疫情有進一步擴散的風險。而世衛組織亦強調……最新情況，請緊貼CEH新聞報道。謝謝各位收看！」

韓進知道嚴雅亭有點緊張，在預錄的過程中，他一眼關七，除操控整個節目過程，還透過控制器的熒幕畫面盯着嚴小姐說話的每個神態。她五官不算特別精緻，但合起來很有氣質、很有個性，那雙向着觀衆展露笑容時瞇起來的眼睛，像一輪彎月，像腰果般可愛，連同專屬於她的酒窩，好甜美，好清新，他竟有點……是抱着欣賞一位美女的心情把這即時專輯製作好的！

𝄞 𝅗𝅥 𝅘𝅥𝅮

隨着收費電視頻道崛起，CEH電視台最近相繼有幾名主播被別家電視台高薪挖走，後備的嚴雅亭終於有登上黃金時段的機會了。

這晚十一時正，韓進兼任導播、嚴雅亭任報道員，這亦是二人的第二次合作。踏入廣告時段，她臨時看到下一節頭條，內容是美國財長與中國領導人的會晤，她發現財長的名字被編譯員寫錯了，連兩國貿易總額也弄錯。可是廣告剛播畢，時間太緊迫，她來不及通知導播，唯有現場更正……

韓進並不知道嚴雅亭機警即時更正錯誤，甫看到字幕跟她嘴巴所說的不一樣時便光火，未能與助導趕及更改字幕，在無可避免的情況下，熒光幕出現報播員說出跟字幕不一致的內容的尷尬畫面……

韓進在節目完畢後，迫不及待使用通話器質問嚴雅亭：「你是不是瞎了？爲何臨時更改新聞內容？」

嚴雅亭衝入指揮室，面對面回應韓進：「我有苦衷的。你爲什麼不先聽我解釋，總是帶偏見來看我？」

「偏見？小妹妹，你在說什麼？你知不知道擅自修改新聞資料有什麼後果！」韓進聽後更大聲斥責！

「韓監製，我要跟你澄清兩件事：一、我不是小妹妹，我是你同事；二、你爲什麼不去追問編輯部到底發生了什麼事？」

韓進先按捺着，他見嚴雅亭走出去，於是跟着她走到了編輯台。剛巧台長看到直播，正在質問。韓進、嚴雅亭同時看到了當值的資深編輯N先生，跟編譯員R在高層前顯得一臉尷尬。N先生先上前跟嚴雅亭和韓進說：「這頭條資料嚴重出錯，幸好你們及時更正！」

嚴雅亭：「這財長前天才上任，也難怪名字會出錯的。R是新入行的吧？」

R羞愧得垂下頭：「是。很對不起，我一時忙昏了……」

韓進終知道自己理虧了，尷尬又不太情願的跟嚴雅亭小聲說：「對不起！」

她轉頭看着他，竟也跟他道歉：「不要緊，我剛才也太激動了。要說『對不起』的人應該是我。其實這件事正好證明你的觀點是對的，報播員還是應該要有新聞底子較好。」

韓進瞥到了她眼裏閃爍慧黠的光芒，他開始覺得她除了好看的臉蛋外，還眞的……跟別的女生很不一樣，正偷偷打量着她的時候，台長的話劃破了他的沉思：「總之這些愚蠢的錯誤絕不能再出現，韓進跟嚴雅亭也盡了責任，做得好。」

此刻嚴雅亭因台長的肯定感到振奮，沒察覺自己那炯炯的目光已牽引了韓進的注視……

𝄞 𝅗𝅥 ♪

這天，大家完成了夜間新聞報播，嚴雅亭累得伏在自己的工作桌上小睡。幾秒之後，身後傳來一把男人的聲音：

「可以談一下嗎？」

配樂　方大同《黑洞裏》

怎樣叫你相信　怎樣叫你想跨過陌生的距離
也許太多猜疑　也許不夠好奇　也許是你的世界太真實

閉上眼睛　我好想帶你到我的星星　看我看的風景　樹上長愛情　河水洗回憶
什麼都可以　只要你願意　屏住呼吸　我好想帶你離開這裏

原來韓進甫踏出錄影廠，便看到連妝容都尚未卸下的她呆在編輯台裏。

嚴雅亭沒好氣：「現在是凌晨十二點。今天的工作已經完結，還有什麼好談嗎？」

「你這是什麼態度？連跟同事談一下檢討一下也不行嗎？」韓進盯着已

站起來背對着他的她。

她回頭反擊：「韓監製，在工作崗位上而言，你、並、不、是、我、的、上、司。」

她晦氣的話換來他更强烈的反應：「不過實際上我比你高級。」

「Fine! 你是新聞節目的製作人，我只是個小記者小報播員，不是嗎？」嚴雅亭語氣上雖低聲下氣，但任誰都聽得出她實情是氣難下。

韓進澄清：「我不是你的上司，我只是……只是想跟你檢討一下工作，是你……」

「是什麼？韓先生？」

「你對我有誤解。」

嚴雅亭對韓進衝口而出的這句話感到莫名其妙，因爲韓進一向不把任何人放在眼內，他似乎在意她怎樣看待他；對韓進來說，也同樣暗地裏爲自己的話感到尴尬。他如此的心高氣傲，爲什麼要在乎這經常耍酷的小丫頭？

嚴雅亭感到臉上微微發紅，她不明白自己爲什麼會產生如此奇妙的內心反應！二人的針鋒相對竟就此打住了，直到嚴雅亭偷看牆上的大鐘，原來他們的對峙足有十分鐘！想到午夜可能要幫忙編譯外電，嚴雅亭趕緊走到韓監製面前說：「就趁我工作前，請閣下趕快告訴我所有需要檢討的地方吧！」

他板着臉：「請嚴小姐以後面對鏡頭前要打起精神來。我從事新聞那麼多年，從來沒有看過報播員如此的沒朝氣。你目光散渙，節奏拿捏不準，整個狀態都不夠投入。觀衆不會有耐性看這樣的新聞，明天就會立即轉頻道！我講完了，再見。」

韓進說完掉頭就走！嚴雅亭這下子眞的氣難下，但誠如他所言，在職位上他比她高級，雖不是直屬上司，但監製有權在年終時評審她的整體表現，嚴雅亭面對他的批評只好忍氣吞聲。

嚴雅亭暫時冷靜下來，但來自這討厭的人，這討厭的評語像起了警戒作用，使她提起勁走進檔案室重看年前自己出鏡的檔案，還一直看到淸晨。她終於認同韓進的話，她的確是退步了。三年前，還是見習生時，鏡頭內外也看到她充滿熱誠的表情。由於樣子清秀，當時還很快獲得試鏡，順利地兼任主播。才三年，她竟變得一臉落寞，不論鏡頭內外，她都是如斯的無精打采，是什麼經歷令她改變了？

韓進記得嚴雅亭說過還要編譯外電，在編輯工作室卻老是看不見她。韓進經過這間充斥着冷冽空調的檔案室，終於瞥到她累極的背影。他本來想找她補充一下其他工作意見，不過，看着她雙手不斷地操控數碼剪接機，電視屏幕上沒間斷地播放着她主持節目的錄像，韓進放棄了打擾她的念頭。縱使他愈來愈覺得自己不抗拒她，甚至開始在意……她的倔強、她的堅忍、她的低調，她的淡雅……在韓進眼裏全是不會宣之於口的優點。

正想悄悄地離開，嚴雅亭竟突然高聲問：「幹嘛在背後偷看我？」她在熒光幕的反射下看到韓進站在背後。

他有點尷尬：「我是找別人，剛好經過，不是偷看你。」

「今晚只有我跟你輪班當值，你到底要找誰呢？」嚴雅亭不饒他，回頭盯着他。

韓進左顧右而言他：「你這些錄像似乎是較早期的，表現得較好，對着鏡頭的目光夠堅定。」

她內心有點感動，因爲韓進很客觀的間接的認同自己的想法，這一點，她本人完全同意。她小聲的說：「謝謝你。」

「但你要改善的地方可多着呢！現在我不是讚美你，是在挑你毛病。可別忘記這些節目已是幾年前的！還有，你不用幫編輯部編譯外電了嗎？」

嚴雅亭忙澄清：「今晚剛好沒什麼大新聞，編輯部同事已跟我說好，他們人手足夠，用不着我幫忙。」

嚴雅亭說得一臉認眞。她用炯炯的目光跟他解釋她、可、沒、有、偷、懶。韓進就是欣賞她這種眼神！他多麼想說出口：「你要好好保持這種目光！你是很有潛質的！」

第2回

某一天，韓進趁下班後，躲進檔案室找回嚴雅亭的節目錄影檔案，用了近一小時觀看她由二〇〇六年直到二〇〇九年期間的外景報道，以至錄影廠內報播的節目。從快速搜尋、定格、倒帶重溫、跳過其他人，或又再慢播，他樂意用這種方式去慢慢理解這個比他更酷的小女生……

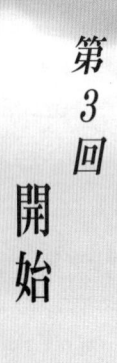

第3回 開始

嚴雅亭沒有察覺他對她已是過分的在意。也許直到此刻她仍不是很清楚自己的想法。她只是覺得他是一個本性善良的人。她，很想跟他交朋友。

韓進告訴她：

「如果你想我多點笑容，以後就……每天送我一支番石榴汁，好嗎？」

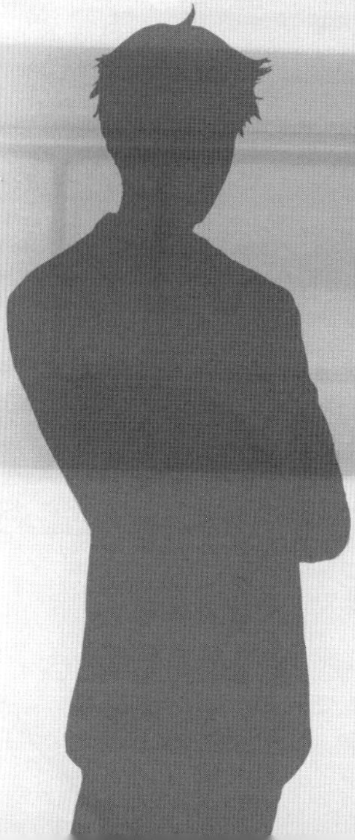

半年過去，韓進與嚴雅亭在即時新聞時段共事了一段日子，二人建立了默契，嚴雅亭經驗比不上韓進，不過在合作的過程裏，她慢慢領會到他對節目中每一個細節要求都那麼高，是對工作負責任的表現。她對他的厭惡好像是……減輕了。當初，韓進確難相處，對小事的安排稍不合意便大發雷霆，甚至要大家從頭配合，但習慣了他的作風，她發現他只是對事不對人。所以，每當同事在背後投訴韓監製的嚴苛作風，嚴雅亭覺得是大家的羊群心理，哪管誰是誰非，哪管當中韓進是否有值得學習的地方，恐怕只是為了跟「反韓進」的人合群，刻意把「韓進」這傢伙標籤了，使他成為反派。

對他的不滿聽得太多也太膩了，她反而看到韓進對工作的堅持，看到他尊重工作。也許，當認同一個人的時候，他會變得愈來愈順眼。他獨個兒留在錄影室、特效室、後期室、剪片室低頭工作時，那種專注的沉思令她不自覺地會在背後多看他兩眼。

也許只有嚴雅亭發現，韓進這衆人眼中的魔鬼，其實也是個個性簡單的人。有幾次她在走廊遇上他，看到他拿着栗一燒狂吃不停，吃完還吮手指，她明明忍不住笑，臉上卻流露厭惡的表情，她的不屑是故意做給他看的，韓進也不甘示弱的瞪了她兩眼，越過對方後又忍不住偷笑。

配樂　　方大同《黑洞裏》（純音樂）

往後的一段日子，兩人還是有很多合作的機會。每次新聞直播，進入廣告時段，韓進總憋不住會在指揮室的熒幕偷看她鏡頭外的舉動。其他主播此時大多忙於整理妝容，只有她一人在閱讀下一條稿子，準備廣告後的新聞工作。

嚴雅亭沒有察覺他對她已是過分的在意。她要是知道了會否很開心呢？也許直到此刻她仍不是很淸楚自己的想法。她只是覺得韓進是一個本性善良的人。他是那種要花時間先理解、體諒，然後會輕易贏得人們尊重的男人。她很想跟他交朋友。她這種欲望非常單純，不是因爲想從他身上學習什麼東西才想跟他交朋友，她沒有那種機心，她只是開始對他產生了朋友的好感。

嚴雅亭知道他喜歡吃卡樂B粟一燒，一個平凡的夜間新聞休息時段，她趁他上了別處，趕緊把一包燒烤味的放在控制台上。

直至節目做完，脫去耳機前，傳來了韓進的聲音：「謝謝你的粟一燒。」

他是趁其他人走了之後才敢跟她道謝的。同一時間，他從控制室的屏幕上看到她低頭笑了。在他眼中，她的笑靨好美。他在欣賞嚴雅亭的美。她卻以爲這向來不近人情的傢伙爲了她的零食放鬆情緒，她有一種勝利的感覺，乘機用通話器請求他：

「你可否不要老是那麼嚴肅，可否以後都放輕鬆點？」

他說：「對不起，兩件事不能混爲一談。一包零食跟我做事的原則沒有關係。謝啦。拜！」

說完，酷酷的他關上通話器，離開了控制室。

配樂　成起京《認識的女人아는 여자》

我們能夠這樣的重逢，是如此的不可思議吧！

宛如很久以前我們還相愛的時候，我們並肩走在街上，而妳，總走在我的左邊。

透過一個表情，一個目光，就能夠知道你的感覺。

嚴雅亭好挫敗，她內心狂罵：「韓進，你非常討厭！好討厭！以後都不理你！」

♪ ♩ 𝄞

一天，資深女主播F報錯了開段資料，編輯台事後大肆問罪，F姐趁嚴雅亭走開，冤枉嚴雅亭，說是她譯錯稿子了。韓進想保護她，步出錄影廠，直接跟老總說：「我在錄影廠的電腦裏看到F刪改了資料。」

F姐瞪眼問：「韓進，這關你什麼事？」

「沒錯，這稿子是由嚴雅亭編譯，但在直播前的最後一秒，你的『登入名字（log-in name）』是最後出現的名字。是閣下不理解這新聞的背景而肆意刪改開段資料，我有記錄，你出錯了可不要詆毀別人。」

嚴雅亭剛好返回編輯台，她全然目睹了韓進爲了她跟F姐爭辯的情形。

資歷淺的她因爲優秀的工作能力受到其他主播排斥是衆所周知的事，可惜老總通常會偏信資深員工的片面之詞，幸好這次有韓進保護她。經歷了這次事件，他關懷自己，嚴雅亭開始感受到了。

配樂　成起京《認識的女人 아는 여자》（純音樂）

下班了，幾個人擠在電梯裏，嚴雅亭瞥到韓進按了二樓，那是停車場的層數。他似乎看不到她在後面。當電梯到了二樓，嚴雅亭跟着韓進步出。韓進回望，看到了她，忙問：「什麽事了？」

嚴雅亭故意跟他鬥嘴：「停車場也是你管轄的範圍嗎，韓監製？」

韓進說：「不是的，停車場是這大廈的管理公司管轄的。」

「拜託！下班了，韓監製可否放下嚴肅，多點笑容？」她說。

「我笑不笑跟你有什麼關係？」

嚴雅亭嘆了口氣：「算了吧，你這個人總是不近人情，像個機械人。」

她本來眞的很想跟他說聲謝謝，因爲他今天爲了保護她，不惜得罪全台最有勢力的首席主播F姐，他是一個很有正義感的大男人。

嚴雅亭越過了他，韓進在她身後說：「難道你感謝我幫了你，想請我吃夜消？」

他竟然懂得開玩笑？嚴雅亭回過頭來，她故意氣他：「我可沒有這念頭。」

韓進納悶着：「那你爲什麼跟着我來到停車場？」

她心軟了，還是多謝他：「剛才不算什麼大事，你實在用不着爲了我大動肝火，F姐在這裏很資深也很有勢力……」

他插嘴：「你想多了。我這個人，一向是對事不對人。嚴格來說，這事發生在任何人身上，我都會替他澄清。明天我還是會反映一下，以後要加强禁止主播隨意修改新聞稿的作風，我才不管他是什麼人！」

其實韓進在乎她，但他不想讓她看穿心事，唯有一臉嚴肅連忙否認。她也關懷他，小聲的再提醒他：「但……這可是編輯部內部的事……」

「甭擔心我。我會直接跟台長說，」他見她欲言又止，「既然你不是請我吃夜消，我走囉，不要再跟在我的後面。」

「誰說我跟着你？」她說罷朝一台泊得老遠的機車的方向走去。韓進恍然大悟了，才知道嚴雅亭擁有Triumph的小綿羊機車作座駕。

嚴雅亭已準備戴上頭盔，韓進向着她大喊：「喂！」

「又怎了？」

「明天吃頓飯吧？你請我。」他鼓起勇氣踏出第一步。

嚴雅亭有點摸不着頭腦：「我們爲什麼要一起吃飯？有什麼需要慶祝呢？」

韓進的自尊快要被她的遲鈍打敗了。

「後天開始，我要上早班了。我要兼顧新節目。」他忙找個理由解釋。

「噢，是的，我有聽說過！恭喜你。」她猛然想起來了，她是衷心的恭喜他。能加入這二〇一〇年最受矚目、公司投放最多資源的產經時事節目，是一衆報播員渴望的事。可惜嚴雅亭不受高層重視，擔任主持的機會最終落入備受力捧的G身上。

嚴雅亭哪會知道韓進會向上頭爭取讓她當節目主持，可惜管理層仍堅持由G出任。這挫敗令一向心高氣傲的韓進很泄氣，因爲他作爲監製，連挑選主持人都沒有決定權。

嚴雅亭說：「聽說這節目是本年度的重點節目，所以主持人才安排了G。她是全台最亮的女主播。」

「我覺得最亮的是……」該死的！他竟差點衝口而出！他自覺遜斃了，忙轉話題：「嗯，你到底要不要請我吃飯？」

嚴雅亭不明白這傢伙爲什麼老是要她請吃飯，但爲了感激他的幫忙，只有順應他的要求：「好吧。反正大家該有一段日子不會碰面，我暫時想不到地點，倒不如到員工飯堂吧？」

他爽快說：「一言爲定！」

她：「好！明天見。」

未幾，韓進看着她瀟洒的坐上機車，絕塵而去。他想：「她機車的款式算得上酷，我會有機會坐上去讓她送回家嗎？」

她想：「韓進這傢伙眞是一個怪人，明天跟他應酬一下，以後就不用再見面，super!」

翌日，二人約好下午一點在員工飯堂。嚴雅亭覺得韓進今天的心情格外好，還一臉笑瞇瞇。她直截了當的問：「你今天怎麼……那麼開朗？」

韓進沒說話，只微微笑地盯着她，他不會告訴她，他興奮是……因爲她。吃飯，是跟她單獨相處的最堂而皇之的理由。

配樂　方大同《黑洞裏》（純音樂）

笨笨的嚴雅亭仍不理解他的想法，只見他低頭進食，她忍不住打量他的髮型、皮膚、眉毛、側臉、拿餐具的手指，甚至他抬頭喝飲料、未發現她在偷看他之前的眼神。她終於敢近距離打量他。她發覺他五官長得好看，很帥氣，眼睛不大的他，是個擁有內雙眼皮的男人，眼形長長，雙目炯炯有神，散發出年近三十歲的魅力。

「你多少歲了？」她忍不住問。

韓進：「快二十九了，怎麼了？」

嚴雅亭不明白自己爲什麼要問他年紀，她只是心血來潮。也許，在她的眼裏，韓進只跟「繁忙」掛鈎，是一個標準的工作狂。更有可能的是，他陽剛的外表已暗裏讓她目眩，好奇心驅使下，她的嘴巴比腦袋的反應快了一步？

他感覺到她在偷看自己。嚴雅亭的舉動，使他期望二人在即將當值不同時段之前，可抓緊機會加深印象。他故意問：「那你多少歲了，小妹妹？」

「下個月便二十四歲了。原來你也不是比我大很多。你剛來的時候颳起了一陣旋風，大家都在猜你的年紀，尤其是女生。男生都看你不順眼，因爲你是他們的公敵。你知道嗎？」

「喔。」韓進從來都不在乎別人的眼光。他長得出色還是醜陋、充滿熱誠還是被視爲恃才傲物，那是人家的看法，他管不了。他咬着吸管把最後一口番石榴汁喝光，眼睛卻盯着對面的她。他問：「你爲什麼都只吃芒果雞肉三明治？」

她答非所問：「你今天的笑容很多，很活潑，像吃錯了藥……」

韓進沒好氣，乾脆告訴她：「我跟你一起才會這樣的，不要告訴別人，好嗎？」

「呵呵。OK。」嚴雅亭微微笑：「韓進，我今天下班後一定立即買六合彩，看到你臉上一千年才出現一次的燦爛陽光，我今天算走運了。」

唉，他勇敢說出來，她竟以爲他開玩笑。嚴雅亭這個人眞夠笨的了！她雖然不解他的心事，不過，這粗心大意的女子畢竟也是美麗的女孩。她笑的時候，黑白分明的眼睛瞇起來，像月牙兒般甜美。韓進看得賞心悅目，但他知道縱使他的笑容再靦腆，她對他仍遠遠沒有男女間的好感。

「你多笑一點吧。」他勸她：「爲什麼你看起來都那麼的憂愁？」

她禮尚往來：「你也不要整天板着臉吧？你工作的時候爲什麼老是那麼嚴肅、老是那麼的不近人情？」

「你想我多點笑容，是嗎？你可以幫助我。」

「如何幫你？」

「每天都送我這牌子的番石榴汁，按時放在我的桌子上，不就行了嗎？」

嚴雅亭沒好氣：「你是高層咧，你尊貴的房間必然會被經常關上的，我這小小的記者憑什麼身分闖入你的房間呢？」

噢，這女生竟用「闖入」這兩個字，對！她不費吹灰之力闖入了他的內心，按局面發展，這美麗、淘氣又桀驁不馴的女俠正準備掀起波瀾，令久久沒有愛神到訪的王子心情忙亂。

「我的房門會爲你而開。」他衝口而出。

她毫不領情，也不領悟他的潛台詞：「你說話怎麼都變得那麼肉麻了？一點都不好笑！」

「我可以叫你作菜頭嗎？」他決定從這一秒起就多點跟她開玩笑！

「什麼？你在說什麼？菜頭是一種蔬菜，跟我有什麼關係？我明明還在笑你講話肉麻，幹嘛一下子就從什麼我的房門長爲你開的話題上跳到……毫無關係的菜頭上？」

看到她被他氣得五官快要冒煙，韓進內心樂透了：「因爲你梳髻的樣子像一棵菜頭。」

「哎吔，我不要啦！很醜的渾名！拜託你！」孤高的女俠氣得五官快要扭曲了。

「其實你跟我都是一樣的人。」

「什麼人？」菜頭女俠聽到他居然說她跟他是同一種人，好奇得張大了嘴巴問。

韓進徐徐的回答她：「我跟你都不是隨波逐流的人，你要好好記住這點。」他了解她。他一早認定她跟他可以發展成一對志趣相投的好友。

還是她有急才：「這點我絕對同意！所以呢，你的名字從今天起也改成韓菜頭吧……」

韓進看着她得意洋洋的樣子，自己也被她逗得忍不住笑了。無論如何，他渴望她會認眞聽他的話，那就是，每天送他番石榴汁，讓他把「她」漸漸喝下，讓她跟他變得更密不可分。她會做到嗎？要讓她做得到，先決條件是，他必須從今天開始把自己的門完全開啟，不再鎖上。

𝄞 𝅗𝅥 𝅘𝅥𝅯

電視台裏所有同事都用內聯網溝通，那平台的功能有點像MSN，可儲存信息，讓對方下次登入時才看。嚴雅亭不常用它，內聯網對她來說只是同事之間對她表達簡單信息的沉悶媒介。這天，她上班時如常登入，有一個名叫「Honj」的人爲她留下了信息——

Honj 〔- 離線狀態 -〕：

嚴菜頭，你好嗎？有一段長日子不見了，這陣子都有看你的報播，好像有了進步。

（Jan 12 12:02）

嚴雅亭猛然想起「Honj」該是韓進的英文名簡稱，她很開心，這段時間兩人雖未曾在公司碰上，但他的名字總是無處不在。同事無意間提到他的大名，她也會留意別人在說他什麼什麼了。沒辦法，韓進是爆炸力、創意力强大的人，他希望革新，不甘於平凡，這種人注定去到哪裏都引起光芒，而光芒與別人的敵意永遠是雙生兒。她想替他討回公道，可惜，她不敢表現自己的在乎，她害怕這會招惹閒言。

該怎樣回答好呢？他留下信息的時間是中午十二點左右，現在是一點，他應該離開了。

Yimnt：

嗨，你這傢伙，我隔天都把番石榴汁放在你桌子上，你為什麼都不多謝我？你可知道，每一次走進你房裏，我都心驚膽跳？

（Jan 13 13:01）

韓進仍然留在公司。明天休假的他已經把工作做完了，他故意留下來想碰碰她。他經常查看她的更表，他掌握她何時休假何時上班的作息時間。他知道她今天應是上兩點的班，他朝她工作的主播房走去，果然看到她已坐下來，正盯着電腦熒幕。透過玻璃，他猜到她該在回覆他。韓進不踏進房裏跟她打招呼，隨便找個電腦登入系統，想作弄她……

嚴雅亭正想收拾心情預備材料準備開會，電腦熒幕的右上角卻有新信息閃動，原來是「Honj」忽然回復了上線狀態，他在回她——

Honj：
你為什麼心驚膽跳？走進我的房間很辛苦嗎？難道我房間有臭味？
（Jan 13　13:12）

Yimnt：

你到底在哪裏？幹嘛神神秘秘在狂打信息，又不正正經經現身？是呀，就是有點彆扭，因為，我跟你現在沒合作嘛。有一次，我走進去，還是被你部門的秘書給看到了，她搞不好一定傳我故意接近你，甚至傳我故意討好你之類……！

（Jan 13　13:15）

韓進明白她的憂慮，電視台確實是製造是非的溫牀。自從那次他爲了嚴雅亭跟F姐爭論之後，同事之間已流傳他跟嚴雅亭的關係曖昧。原來他不在意的事，嚴雅亭還是在意的。也有可能，這傳言根本是事實。如果屬實，在韓進的心內就沒有澄清的必要。

不知怎的，當他意識到她對這段友情混雜了不必要的顧慮後，他感到少許失落。他登出了。嚴雅亭見他離線後，按捺不住，離開大房間朝着他的辦公室進發，她要碰碰這神出鬼沒的傢伙。未幾，她來到他辦公室外，不過房門已被鎖上，她以爲他登出後馬上離開了。冗長的工作會議三分鐘後便於樓上進行，她不能再留在這裏等他。

同一時間，韓進離開那台電腦走到她的辦公室，卻看不到她。韓進以爲她離線去忙別的事，他不想打擾她，便離開公司了。

這一天，兩個人沒有遇上。

電視台決定製作專題採訪台灣總統選舉。這次的任務，台長決定交由四位年輕人負責：韓進擔任製作人兼第一導演，導演M擔任第二導演兼攝影師，外景報道則分別由嚴雅亭和G小姐共同擔任。他們就在一個月裏不斷開會，G和M首次跟韓進合作，對他事事要求完美及嚴謹的態度大吃不消；嚴雅亭勝在對台灣政情熟悉，她亦看得出韓進在內容編採上願意聽取她的意見，兩個人，工作上多了互動。

這天，衆人開完最後一次會議後，便一起出發到機場。在飛機上，G和韓進被編排坐在一塊兒，導播M則和嚴雅亭在一起，坐在韓進他們隔壁的後排位置。在三個小時的機程內，明明討厭韓進、經常在背後嘲弄他的G不斷逗他說話。M一向對嚴雅亭有好感，他跟她聊天，但嚴雅亭只敷衍着他，因爲她的注意力始終放在前方的兩個人身上。G小姐跟韓進喁喁細語，不自覺地成了她的主要景觀。

之後，嚴雅亭悶極呆望飛機外的景物。她並不知道就在她對窗沉思的時候，韓進剛好回頭偷看她……

台灣的採訪工作異常忙碌。總統選舉如火如荼，備受力捧的G獲得優差，大部分時間只需留在錄影室報道，嚴雅亭則擔任外景主持。爲了跟嚴雅亭在一起，韓進來個假公濟私，寧願自己分擔M的工作，故意要跟嚴雅亭一組，爲她擔任外景導演。

不過他對台灣政情不熟，這段日子，後輩嚴雅亭反而變成了他的良師，譬如政壇人物的關係網，譬如兩黨參選人的背景，譬如如果訪問不到這一號人物還有什麼二、三號人物可供選擇，譬如如何爭取時間構思另一些內容。這段時間，大家情緒都很緊張，也很高漲，每每工作及討論至凌晨兩三點。韓進、嚴雅亭和M三人仍願意留在旅館附近的咖啡室一起討論明天的分鏡、採訪地點、拍攝細節和傳回片段的種種安排……

結果在最後的四天，連M也吃不消了，三人討論變成了二人討論。這一男一女，精神都高度集中在工作上，在情緒如此綳緊的情況下，在深宵的咖啡室裏，展開熱烈討論。大家互相駁斥又互相取笑。他偷看她，看到她的手伸過來用叉子瓜分他的奶油蛋糕，看到她嘴邊沾上了奶油，他差點想用紙巾替她抹掉；她偷看他，看到他低頭呷着苦澀的黑咖啡，看到他專心看記事本，她差點想搶走他的文件作弄他……

韓進眞是演技派巨星。表面上很專心很用功，但嚴雅亭暗地裏欣賞他的時候，哪會察覺這向來被喻爲工作狂的男人，開始一心二用、開始假裝專心？

選舉完畢後，拍完當選總統的謝票活動，他們獲公司安排一天假期。韓進仍然很早就起牀，他走到酒店的餐室用早點，卻見到嚴雅亭已坐下來喝東西。他雖然有點開心，卻不忘耍酷，故意拉長了臉走到她的桌子前。嚴雅亭在喝咖啡，抬頭瞪着他：「菜頭監製，有何貴幹？今天可是自由活動時間呢！」

「你還有一個任務。」韓進一臉嚴肅的說。

嚴雅亭被他這句話嚇倒了，差點嗆鼻：「什麼？你不要看我人好就常常勞役我！這兩個禮拜我可是每天都跟你通宵工作！」

「我眞的那麼討人厭嗎？」韓進竟然這樣問她！

嚴雅亭不自覺脫了口：「什麼？難道你不知道全台幾乎所有人都怕了

你嗎？」

「OK，所以呀……只有你一個人聽我使喚的。」

她向他翻白眼：「廢話少說！你到底還要給我什麼任務呢？」

「帶我去吃台式早點。你不是說過以前的男朋友是高雄人嗎？」

嚴雅亭沒好氣：「是我的大學同學，不是前男友。」

配樂　方大同《黑洞裏》（純音樂）

「你到底帶不帶我去？」韓進微笑地追問。嚴雅亭內心很享受跟他鬥氣，她故意不回答，逕自起來，假裝走往別處替自己添加早點，此時，韓進站起來抓住她的手腕！

「你在幹什麼？」嚴雅亭回頭問他。

韓進並沒有鬆開她：「聽話吧，我們快走，趁他們兩個還沒有下樓前開溜！今天三餐全由我包辦！」

她說：「好吧！你不要食言啊！」

終於，二人首次在零工作下獨處。她熟悉台北，先帶韓進到台北火車站和三光新越百貨公司附近的大街小巷享用不同的早點。平時高高在上的韓進，落入民間卻變成來自另一星球的人，因爲，他無論吃粥、蚵仔蛋還是煎包，動作都笨笨的像個傻瓜！

「這個肉包太大了，我跟你分？」韓進明明已吃了很多很多東西，還想吃這熱騰騰的肉包！

「不行了，我要獨吃，太好吃了。」嚴雅亭故意跟他搶。

他不依：「不不不，這個我跟你平分，我還吃得下，女生要苗條不要吃太多肉啦……」

她不服氣：「有沒有搞錯……你太貪心了吧……」

結果，這一男一女由堂堂的新聞工作者變成在各式大小食店裏、衆目睽睽下，互相爭奪食物的大小孩……

吃飽後，嚴雅亭帶韓進這傻瓜坐捷運沿着淡水的方向到各處遊逛。幾乎每一站他們都稍作停留。當車子到了天母區附近，韓進跟她說：

「聽說附近是天母區，是嗎？」

女的回話：「是的，那裏有很多咖啡館子。」

男的又說：「我們不如去那處逛逛？我聽朋友說那裏像香港的中環般精緻高尚。」

「好。Let's go!」

傍晚，他們沿着捷運到了終站淡水，那是沿着海岸延展的美麗港口。韓進這才發現那裏的咖啡館子比天母區的還要多。期間，他們各自用相機在泥灘拍了許多的相片。他看到她拿着自己的Canon相機，她看到他拿了專業型號的Nikon相機……他們拍海鷗自由自在行走在海灘上的獨特神態，拍老人家和孫子們坐着的悠閒，拍灰暗雲海呈現的另類美態……二人沒有分享彼此的照片，只知道原來大家都喜歡拍照。但男的女的拍攝主題還是不盡相同。只因爲，韓進在專心拍攝眼底下每樣美麗事物的同時，嚴雅亭的神態甚至她拿着相機專心拍照的模樣兒，才是韓進Nikon鏡頭下眞正的主角。

之後，他們分享了很多地攤小吃。韓進從未試過一天之內吃那麼多東西。嚴雅亭去到哪裏，他都跟着她。可是遊人太多，他們二人曾走失了，韓進發覺，在芸芸衆生之間要找尋嚴雅亭的影子忽然變成一件困難的事，縱使，在他的眼裏，她永遠是一個亮眼的女孩。

最後，他只能打手機找她。撥出她工作的號碼後，他竟在附近聽到了自己的鈴聲——那是樂隊Coldplay的《42》！就在他納悶之際，遊人散去，嚴雅亭原來就站在他斜對面的路邊。不過她並沒有即時看到他，只在重重的人群裏張望。韓進看着她的側臉，良久才懂得大聲的喊她：「嗨，傻瓜，我在這裏！」

嚴雅亭應聲回望，她終於看到他。他笑問：「你也用這首歌作鈴聲？」

她說：「看來我和你不只喜歡這樂隊，還同樣選中這支歌。」

「嗯、嗯、嗯。」他只懂得連番稱是。驀地，他內心籠罩着說不出的窩心和甜蜜。

配樂　成起京《認識的女人 아는 여자》（純音樂）

二人一起逛誠品書店的時候，他看到她在看秘魯的旅遊書。他問她：「你想去那裏？」

嚴雅亭卻給他一個奇怪的答覆：「曾經是。時間愈久，我愈要勇氣才可以再去。」

她說這話的時候，眼神放得老遠，他不明白她的心事，反問：「為什麼不挑自己渴望去的地方？」

她微笑地道：「你知道我最想去的地方是哪裏嗎？是日本的九州。那兒有一個很可愛的小島叫種子島，它有一個稱號，叫『離月球最近的島』，據稱是全世界最貼近月球的地方。島上有一個沙灘，可沿着海邊看星星，在這個離月球最近的島上看星空，必定是最浪漫的事情。」

也許說得太忘形了，韓進又被她腰果般的眼睛完全迷倒。他衝口而出：

「我陪你去！」

嚴雅亭兩頰泛紅了。她傻傻的說：「喔，對，跟好友知己去也可以。」

她尷尷尬尬的想走開，迴避他灼熱的眼光。

他看着她的背影：「我不可以……陪你一起去嗎？」

她回望他：「你當然可以去，但你可以跟女朋友或最好的知己朋友去。種子島看星星是情侶的活動。」

「你有沒有男朋友？」面對韓進再次的單刀直入，嚴雅亭陣腳大亂了，她反應不過來，顯得彆扭。最後，她竟然反問：「那……你沒有女朋友嗎？」

「沒有。」韓進雙眼凝視着她。

「爲什麼沒有？你條件那麼好……是不是要求太高了？」

「『有沒有』跟『要求高與低』未必有直接關係。」他說得似是而非。

「也可能是愛情還沒有開始……」她說得像自言自語。

「你可知道愛情是如何開始的嗎？」

她盯着他，沒法言語，她不想給他自己的答案。但她心中確實有一個：

「一個吻。一個眞正的吻。A real kiss。」這答案是她在美國艾奧瓦大學作交流生的時候，教授費迪雅·安德遜博士告訴她的愛情見解。

未幾，韓進竟回答：「一個吻。A real kiss。」

天啊，大家的答案竟一樣！是他們天生一對還是他天生異稟，可偷「看」她的腦袋？

配樂　陶喆《那一瞬間》

那一瞬間
想到未來
想到從前
就在黑暗路的盡頭
一道光劃破天邊
只有我在天地之間
美好平靜那一刻

「爲什麼跟我談這些？」她問得結結巴巴。此時韓進遞了一本書給她，書名是《眞正的吻》。他說：「這是我喜歡看的一本書。它是一本剖析男女關係的心理書籍。很有道理，很有深度。」

嚴雅亭傻傻的接過書本，內心思考韓進眞正想表達的意思。

「你仍然沒有答我可否讓我陪你一起去種子島。」他步步進逼。

「你也沒有回答我爲什麽找不到女朋友。」她反問。

「你有興趣知道嗎？你和我一起去種子島，我告訴你擇偶的條件。」

「我們要不要一起去種子島和跟你談擇偶的條件是兩回事，既然你不想說我們就不要再討論下去了。」她走往別處，但手中仍握着他剛才遞上的《眞正的吻》。

他反駁：「也可以是同一回事。」

「我不明白你的意思，還是讓我再想一想吧？」這一刻，內心有鬼的嚴雅亭只想逃避他灼熱的目光。

「你覺得我怎麽樣？」韓進繼續試探她。

「在哪一個層面而言？」嘿嘿嘿，嚴雅亭果眞的是一個聰明的女孩！輪到韓進語塞了。她看來不想回答，又同時間巧妙地逼他坦承自己在乎的範圍。

「朋友，或者是更多一點……」

「我們這幾天才比較熟絡，所以我暫時是不會告訴你的。但我答應你，我會回答你的。不過，請給我一點時間。」

「我一定給你時間，我一定會問你，到底我在你的心目中，是一個怎麼樣的人！」他說罷滿懷心事的走開，留下心如鹿撞的嚴雅亭獨個兒呆想。

原來同事之間一直流傳關於韓進「暗戀女主播」的說法竟然是眞的。本世紀最高傲最酷的王子竟暗戀毫不起眼的自己？是自己敏感？是剛才的咖啡有迷魂藥？這裏的空調混雜了催情煙霧？無論如何，這是絕不可能的事！嚴雅亭實在不敢再仔細推敲他暗戀還是明戀她的每個可能性！但看着他高大的背面，冷傲的身影，專注看書淸俊的側臉……嚴雅亭的心明明是撲通撲通的在狂跳。

現在，究竟是誰暗戀誰了？

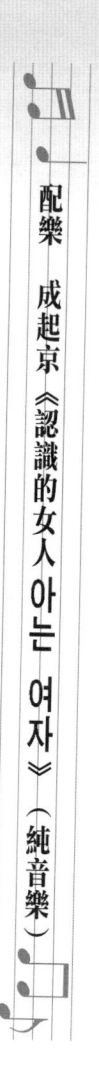

半晌，她提起剛才韓進交給她的《眞正的吻》，赫然發現著書者是費迪雅．安德遜博士！

配樂　成起京《認識的女人 아는 여자》（純音樂）

直到傍晚，韓進提議離開淡水，於是嚴雅亭帶他回到鳳山站的中華街。他們爭取在回港前的最後時間，穿越橫街小巷品嘗地道的台式小吃，遊逛熱鬧的夜市。在五光十色的霓虹光管下，他擔心嚴雅亭隨時沒入人群裏。

在嘈雜的人群裏，他大聲跟她說：「我們走另一邊去好不好？」嚴雅亭聽不到他的話，此時，三五成群的遊人從各方湧過來，可愛的嚴菜頭已走得遠遠，韓進馬上穿越人群抓緊她的手腕：「我們應該走那邊，你不是說過很想看國語老哥的黑膠唱片嗎？我看到那條街有。」

話說完了，韓進把她拉出重重的人群，及至二人走近了，嚴雅亭有點刻意的甩開他的手。韓進看到她極不自然的表情，他內心更難受，跟她小聲說：「對不起，剛才太多人，情急之下我才拉着你。」

如今，輪到他尷尷尬尬的，逕自走進店子裏。嚴雅亭看着他皺眉的臉，悶悶不樂的背影，內心向他說：「你抓着我的手腕時，我竟然心跳加速了，因此，我要裝作嫌棄，請原諒我……」

配樂　**方大同《三人遊》**

一人留　兩人疚　三人遊

第3回

悄悄的　遠遠的　或許捨不得
默默的　靜靜的　或許很值得
至少我們中還有人能快樂　這樣就已足夠了

這兩年的七月二十五日，無論發生什麼事，她都決定在當天休息一天，然後獨自前往蒲台島。那是在赤柱南邊的一個小島，坐船要一小時。

趙爾遠臨走前，會帶她到那處，跟她說：

「從這裏看，你會看到公海，公海以外的地方，便不再屬於香港領域，從這裏出發，我可以離開這兒，前往想去的國度。」

「你要去哪裏？」

「南美，秘魯。」

「我會等。我知道你爲了要找尋你爸爸過去的足迹。」

她仍記得，趙爾遠當時是點點頭的。但她根本搞不清楚到底趙爾遠是因爲同意讓她等他，還是承認遠走秘魯是爲了尋找爸爸過往拋下他和媽媽遠走南美的足迹。

這一天、和他最後一次手牽手的日子，她來到這渺無人迹的小島遠眺公海，這裏看不到南美的海岸線，但在她鼓起勇氣遠赴秘魯之前，在這裏的頂峰，她孤身一個，仍然可以感受到「他」的氣味、「他」的存在、「他」憂傷的眼神。

「阿遠，我來找你好嗎？」

這總是她在夢裏見到他時問的話，只見他緊閉雙唇，沒有回答她。現在只是四月。她提早來到這裏，是因爲近來停不了的在想另一個人。她渴望清冷的風、小島冷峻的氣氛使她冷卻那思想……每當她感到不該存在的感覺在滋長時，會馬上來一趟。她跟自己說，她的心只能爲趙爾遠一個男人熾熱。

第3回

第4回 愛神

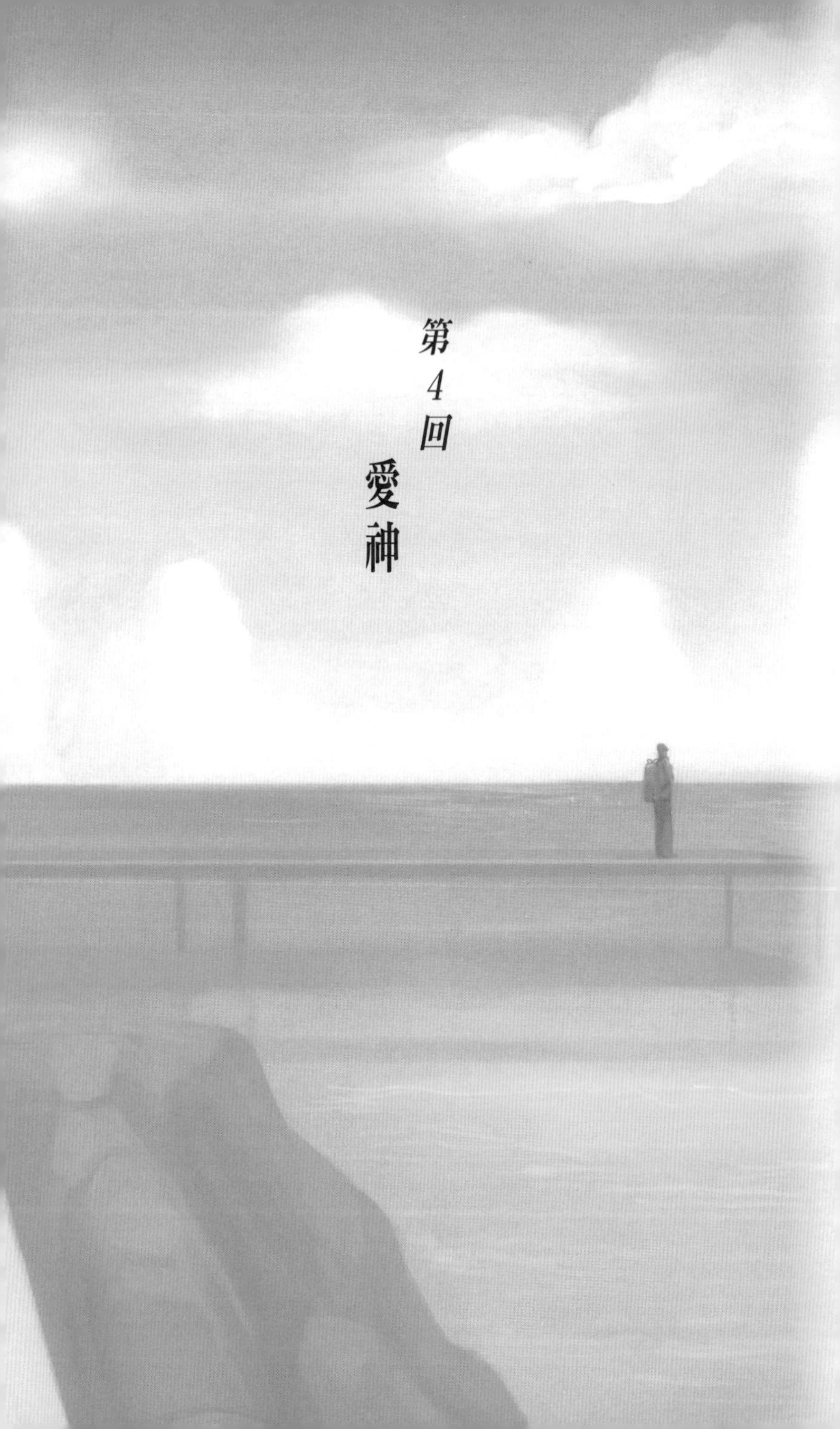

嚴雅亭看着這份下午茶，她記得剛才抬頭跟他說「好」的時候，他看着她的眼神實在……曖昧得非比尋常。直到下班，無論在錄影，還是在寫稿子，嚴雅亭還是不能抑止地想着他。

韓進說：

「我知道你開始在想念我。」

嚴雅亭的上班流程一如以往，於下午擔任採訪工作，並兼任晚間新聞報播員。韓進則被調往早班，他除了負責早間至午間的即時新聞外，還專責有關時事產經的專題節目。

自從台灣公幹回來後，韓進少有機會跟嚴雅亭碰上。少了見面的機會，卻絲毫沒有減退他對她的想念。愛神終於到訪，開啟了他那扇緊閉的門，為他冷卻的心添加了溫度，甚至燃起熱度。

嚴雅亭的聲音和臉容不時在熒幕上、他的腦子裏出現。當他在剪接室工作時，當他在錄影廠做後期製作時，大大小小的熒幕上，總恰巧地播放她報播和當外景主持的片段。

在如常的日子，仍處於迷糊期的嚴雅亭，在晚上做直播時，不期然會幻想韓進仍坐在控制室裏跟她合作無間。雖沒有碰上他，但「監製．韓進」這名字卻有意無意地在她寫稿子和剪輯片段時，在旁邊大大小小的電視畫面裏晃過。

夏天。

Yimnt：

Hey，今天是你放下了Prêt A Manger的三明治給我嗎？太好了！也剛好我沒有時間買午飯，謝謝你囉。

（Jun 22　13:13）

Honj：

好吃嗎？你喜歡吃，我每天都可以請你。他們做的芒果雞肉味道最好。上次在飯堂看到你挑了芒果雞肉三明治當午餐，我記得的。以前在紐約市就有一家三明治店做得很好。是超好！（Jun 23　6:30）

Honj：

Hey，我走了，一直從早上忙到現在，還差兩小時，你應該上班了，很想碰到你，但我呆在這裏如何消磨時間呢？

（Jun 23　15:30）

Yimnt：

你想故意等我？哈哈哈，不用了。HEY，你節目的收視率持續高企！真是恭喜你。你該回家了吧？努力有回報，替你高興，真心的！我工作囉！多希望不用再信息來信息去，就能立即看到你這傢伙。Bye!

（Jun 23　17:30）

第4回

日子有功，嚴雅亭開始「有點習慣」每天上班登入內聯網後收到韓先生的信息。但今天沒有，她感受到明顯的失落。不只今天，還有明天、後天及大後天。她每天仍如常的走進他的房間，履行承諾爲他放下番石榴汁。他的房間雖沒有鎖上，但她不確定他到底有沒有上班。於是，她忍不住跟其他同事詢問韓先生的工作日程。

同事H：「韓監製在香港，沒出差。早上看到他，還雙眼通紅。」

同事Q：「剛才還看到他與攝製組拍完外景回來，他該沒走。」

原來他天天在公司，天天爲自己的節目拍外景忙後期，但爲什麼一句都不回呢？

Yimnt：

韓進，你最近都好嗎？我只在納悶為什麼你都沒有了信息。你不是跟我說每天都請我吃Prêt A Manger的三明治嗎？

（June 27　17:13）

第二天，她上班又立即登入內聯網。可惜，他依然沒有回覆。她托着下巴發呆之際，對面的同事卻朝着她的上方大聲說：「Hey，是韓監製大駕光臨！什麼風吹你來？」

「嗨！是的。好久不見。」韓進向衆人回話。他當然不是來探訪他們的，他是來找嚴雅亭。嚴雅亭臉紅，內心有鬼，剛想起他，他竟然就站在她身旁！

她電腦熒幕的左上角還處於內聯網溝通的活躍狀態，他必定覷到她發呆失落的樣子。她傻傻的抬頭跟他打招呼。韓進看着她，發出會心微笑。他把Prêt A Manger的三明治遞到她面前：「請你的下午茶。我說過的。」

「嗯、嗯。」嚴雅亭只懂點點頭，她臉頰開始發熱變紅。原來他沒有錯過自己的信息，原來他在乎自己向她承諾過的事。韓進從她靦腆的眼色中，驚喜地發現她開始對他在意。

這裏的人太多，他原本想跟她聊聊天，但還是放棄了這念頭。他把三明治連橘子飲料輕輕地放在她的桌子上，離開了。

嚴雅亭看着這份下午茶，她記得剛才抬頭跟韓監製說「好」的時候，他看着她的眼神實在……曖昧得非比尋常。直到下班，無論在錄影，還是在寫稿子，嚴雅亭還是不能抑止地想着他。韓進在深夜下班前再登入內聯網時看到的信息——

Yimnt　[- 離線狀態 -]：

謝謝你的三明治。我好想跟你多講幾句，那時候你為什麼要急着走？

（Jun 28　21:21）

嚴雅亭上班登入後看到他留下的回覆——

Honj 〔- 離線狀態 -〕
當時是……你那邊的同事太多了，要聊真的不方便。我們要好好地單獨聊天，總得想個辦法！☺
（Jun 29　15:30）

他欲拒還迎的詭計可能奏效了，這兩天嚴雅亭停不了的想念他，惦念他對她的曖昧。當然，她分不清自己的感覺。她以爲內心可安靜下來，可心如止水；她以爲只要自己登上孤清的小島眺望前方，便可以掌握自己的感情。可是，「韓進」已披星戴月的長驅直進她的心房。這一向孤高的女俠到底在什麼時候把自己的城門開啟了？

她想爲自己留下寧靜的片刻，讓自己細味韓進對她是介乎同事和朋友之間的友情、手足之間的感情、還是逾越了朋友又未達至情人的極微妙感覺。

她想到這裏，深深地呼吸，然後伏在案上，緊閉雙眼，幻想自己碰上黑洞，被捲進去了。她索性當自己什麼都沒有想過。可惜，她愈刻意的提示自己要「忘」，愈每分每秒都在「想」。

韓進上班後登入電腦，他看到嚴雅亭的信息——

Yimnt [- 離線狀態 -]:
已幾天了，為什麼都沒 updates? 你這幾天好嗎？ (Jul 2 07:24)

韓進小心求證，索性來個單刀直入式的試探——

Honj:
你是想念我嗎？ (Jul 2 07:26)

下午，剛上班的嚴雅亭看到他的句子，當然趕快來個嚴加否認的姿態——

Yimnt：

我沒有啦。其實我也想念很多久不見面的同事。　（Jul 2　15:24）

韓進知道她胡扯。他此刻在線上——

Honj：

我還在公司，想現在直接見面嗎？　（Jul 2　15: 27）

嚴雅亭絕不承認很想見他，忙轉話題——

Yimnt：

最近在忙些什麼？

（Jul 2　15:33）

韓進不會告訴她他這陣子是在裝忙，所以不給她留言。韓進沒耐性了，不再轉彎抹角——

Honj：

你肯跟我吃頓飯，我多忙都見你。我看到你二十五號有補假，不然就那天晚上？不過有重要的事就算了，我們再認真找個日子。

（Jul 2　15:37）

Yimnt：

嘿嘿嘿，你怎麼知道我有補假？@@

（Jul 2　17:40）

被她發現了偷看的「醜行」，韓進尷尬得臉紅耳燙。嚴雅亭是猜到了，她知道韓進應有查看她更表的習慣，所以忍不住要爲難他。

Honj：

……

（Jul 2 17:42）

Yimnt：

喂，你還沒有回答我！>＜

（Jul 2 17:48）

韓進終於想到了更好的話題轉移視線——

Honj：

我聽說你擅長玩 skateboard，不如你教我，如何？我真的很想學！

（Jul 2 17:42）

Yimnt：

好！我們找個日子！

（Jul 2 17:48）

今天她要把一些片段母帶送到剪接師那裏，經過韓進的房間。他的房門是開着的，韓進坐在房裏跟兩個同事進行腦震盪會議。韓進在牆上的白板上寫下會議重點，回望坐在門邊的同事時，剛好瞥到嚴雅亭經過。二人兩秒間的互相凝望，大家都來不及點頭，心跳加速。嚴雅亭急步走開，她害怕被他發現自己刻意經過這裏才通往剪片室。

Hon j：

今天看到你，對不起我在開會。你還沒有回答我，你二十五號的補假，是原本有事的嗎？

（Jul 10 12:24）

他看到嚴雅亭仍在線，她應該還沒有下班。韓進趕緊走到編輯部，遠遠就看到完成新聞直播的她仍是一臉濃妝，托着下巴呆呆地盯着電腦畫面。韓進想走到她身邊，豈料導播M比他快一步坐到嚴雅亭的身邊，還給她一杯白開水。嚴雅亭一臉笑意：「謝謝你。」

「你病了，吃點藥就回去吧。我送你。」M獻殷勤。

「不用，我有開機車。」

M：「你有沒有搞錯？頭暈暈的還想自己騎機車？不行！」

韓進一直靜靜地望着她，嚴雅亭瞥到他走近：「Hi，韓監製……」

「Hi!」

「你爲什麼還沒走？你不是該下班了嗎？」她奇怪的問。

「你病了嗎？」韓進擔心她。

豈料M插嘴：「對，阿亭她病了。」

縱使韓進一向我行我素，根本不會把任何人放在眼裏，但他甚爲在意有關「M小子追求嚴雅亭」的緋聞。任何跟嚴雅亭有關的事情，哪怕是未經證實還是開始有點蛛絲馬迹，他也會非常在意！如今，自己還親眼目睹「傳聞中的情敵」出現，他的心很糾結。

「我沒事。」嚴雅亭跟兩位男生說。期間，她忍不住偷望韓進，她有點介懷讓他看到了她跟M的友好關係。不過，她在意的眼光也被M看得清清楚楚。任誰都看得出這種眼神只會散發自一對曖昧的男女，而「曖昧的男女」

當然是稍微越過了一般同事甚至朋友的界線。去到多遠，就只有他倆心中有數。

「我送你回去。」韓進趁機說。M盯着他，也回頭看着嚴雅亭。豈料，嚴雅亭不假思索就說：「好，但我的機車怎麼辦？」

「那當然是泊在公司了。你坐我的車子，我送你回去，二十分鐘後門口見，OK?」

韓進在「情敵」M面前施下馬威，對嚴雅亭下了溫柔的指令，而她又唯唯諾諾的：「OK。」

韓進銳利的目光、明澄的內心同時向M呼喊：「她是我的！你有種就跟我拚！」

嚴雅亭發現自己陷於兩男之間，覷到二人眼色中的較量。

嚴雅亭仍否認自己對韓進的重視，明明他闖進了自己的生命，卻一直怯於承認。她對愛情畏首畏尾，某程度上她是虛僞的。她衝口而出跟韓進說

「好」，早已狠狠摑了愛慕者M一巴掌，更等於默認韓進在內心的分量。

M怪難受的，他似乎在第一個回合先敗下陣來。被打擊了自信的他，沉默無語，只向嚴雅亭輕輕地說聲「bye」便離去……

換好衣服卸好妝的嚴雅亭坐上了韓進的座駕。他開的是酷極了的HUMMER H3T越野車，車子裏放了很多R&B的CD。他選了方大同的歌。夜靜了，悠悠播放的音樂顯得格外動聽。

「我載你去看醫生。你有相熟的醫生嗎？」韓進問她。

「我眞的沒事，只是小感冒。」

韓進卻用手背按着她的額頭：「你看來有點發燒。」

「我沒事，起碼沒有咳嗽，只是有點喉嚨痛，我回家休息就OK了。」

韓進感覺到她是個倔强的女生，但他比她更倔强：「我要陪你去看醫生，吃藥才會康復。明天也不要勉强上班，我替你請假。」

「但……我……眞的……」

韓進打斷她：「先睡一會吧。」他大大的手按着她燙熱的額頭。也許她太累了，能量低，乖乖的就順着他輕輕一按躺在車子的椅背上，閉着眼睛，完全放鬆，讓自己躺在韓進的身旁。

韓進看着她，怕車內的空調令她着涼，把溫度調高了，又趁停在交通燈前的時間，把自己的大衣脫下，蓋在嚴雅亭的身上。今天淘氣的小菜頭終被他以溫情的攻勢「拐」到車廂中。韓進的視線裏就只有她沉睡的臉。她褪去了鏡頭前的厚妝，清秀的臉比起她上鏡的任何時候還要好看一百倍。

韓進好想吻她的臉，他竟有這非君子的念頭。他當然強忍着，他不能讓自己被男人最原始的慾念支配着。他清楚知道，嚴雅亭是一個高難度的對象，他的追求還沒有開始，因爲她的心意難測，令他舉棋不定。

嚴雅亭已在不知不覺間醒來，他衣服上的香氣和專屬於他的氣味包圍着她的臉。緊貼着他的衣物，使她產生了很彆扭又甜蜜的感覺。她看着韓進專注開車的側臉，內心感激他爲了她那麼的費心神。

爲了不想讓他發現自己在偷看，嚴雅亭把臉埋沒於他的大衣裏，豈料韓進說：「你醒了？爲什麼偷看我？」

他眞厲害，連看都不用看卻已準確掌握她不見得光的一舉一動，韓進說完才回頭看着她。在韓進的面前，她像做錯事的小女孩，變得無所遁形。

「我只是剛醒來，我睜開眼就看到你在開車。」她詭辯。

「嗯，是嗎？」韓進只微微笑：「我載你去醫院的急症室。」

「爲什麼要去醫院？」

「因爲你燒得很厲害，我陪你看完醫生之後，再送你回家。」

「喔，太麻煩你啦。」

「不麻煩。我反正有時間，不要擔心煩到我。」對韓進來說，爲她折騰爲她管接管送絕不麻煩，反而是他應該要爲她完成的使命。他內心只記掛着要趕緊把她交託給醫生，讓他們照料她。

他載她到了醫院，讓醫生替她診治。自己坐在公衆大堂一直耐心地等待。等到照顧嚴雅亭的護士走出來的時候，他忙走上前問：「嚴小姐怎了？」

「嚴小姐需要留醫，她有輕微高燒迹象，爲愼重起見，留院觀察好一點。」

韓進衝口而出：「我可以整夜陪她嗎？」

護士知道他很緊張，微笑地問：「你是她的家人還是朋友？」

「不是家人，是很好的朋友。」

「那她住在哪裏？」

韓進無言以對。直到這一刻，他才知道自己對愛慕的嚴雅亭仍是一無所知。院方後來用電腦查閱嚴雅亭的身分證紀錄，終於找到她的居住地址。不過，她的家沒有固網電話，只有她的手機號碼。嚴雅亭可能是獨居的。

院方爲嚴雅亭打點滴後，韓進就一直坐在她牀邊看着她。期間護士見他捉着她的手，忙叮嚀他：「可以的話，請不要妨礙她休息。」

嚴雅亭並沒有完全睡去，她感受到韓進坐在她身旁，但眼皮倦得重極了，她乾脆讓眼睛合上。她的手被韓進緊握着，但她沒有怪他。她領會到他那麼快便捉着她冰冷的手，是因爲他太關懷她，顧不了禮儀。

未幾，全身被火燒得燙熱的嚴雅亭進入了夢鄉。在夢裏，她闖進了一處布滿迷霧，佈滿石像的神秘島嶼。這時，她聽到一把男子的聲音，聲音說：

「利亞，利亞！」

雖然她不曉得「利亞」是不是一個名字，還是一處地方，但這把聲音她感到很熟悉，於是她趕緊撥開煙霧，看到了一個熟悉的身影。

可惜，直到她走近一呎之遙，才看到那並不是她想念的人，那只是三塊不同高度、不同距離的黑色石塊。在遠看的錯覺下，「它」會幻化成在這裏苦候她的趙爾遠。她不想離開這裏。這兒像極那相距一萬八千公里的迷離領域，是趙爾遠滯留的地方。她最後抱着其中一塊最高的石塊在哭……

在韓進眼中，打點滴後的嚴雅亭，額上、臉上的汗珠令她的髮絲有點濕淋淋。也許未退燒，臉正微紅，合上眼睛的她，睫毛原來那麼長那麼自然的捲曲。他沒有睡，只坐在一旁安靜地陪伴着她，亦忍不住用手背輕按着她粉紅的臉，好讓她把自己過多的熱傳遞到自己身上，爲她分擔一下。

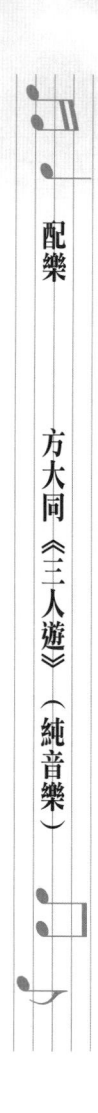

韓進想通知她的家人，不過他雖然愛慕她，卻對她的生活一無所知。譬如，他剛才會經想鼓起勇氣問她到底有沒有男友，好讓這眞命天子代替他照顧她。但他想開口的時候，她已變得虛弱。

直到第二天的傍晚，醫生跟韓進確認，嚴雅亭只是患了重感冒，並非H1N1。她昏睡了是因爲工作過勞以致抵抗力變差，使感冒菌在體內變得頑劣。韓進認定，這獨居的女孩應該是暫時失去了愛情的呵護，以致變成工作狂，還經常願意兼任通宵班的外電編輯。

縱使護士叮囑他不要吵醒她，但他不想放開她的手，是從這一秒開始決定不想放開她。

配樂　成起京《認識的女人 아는 여자》（純音樂）

第4回

第5回 着迹

自從看着他步出自己的寓所後，嚴雅亭瘋狂地想念他。她以為自己在夢裏會跟趙爾遠相聚，但當她徘徊在虛與實之間，這個他卻捉着她的手，在一端拉扯着她。來到了這一步，二人的關係到底算什麼？

可惜連韓進也迷失了，他竟跟她說：

「全世界都知道你有一個更愛的人，只有我一個人不知道。」

不知怎的，韓進送嚴雅亭入院一事傳遍公司，才幾天的時間，二人的緋聞再度被炒作。對韓進而言，他對辦公室的謠言感覺麻木，某程度上他並不介懷人家跟他求證些什麼。他可以說「是」，也可以說「不」。連韓進最好同時也是唯一的朋友、娛樂頻道高級編審TC先生也來湊熱鬧：「兄弟，傳聞是你陪她入院又陪她一整晚，第二天又親自接她出院，這全是眞的嗎？」

韓進爽快的回答：「是。那又怎樣？我下班的時候碰上她，她病了很虛弱，作爲男人，不是該是有點風度嗎？而且……」

「行、行、行。完全明白。」TC沒好氣的說。

「你確定自己完全明白？」韓進對好友的態度感到納悶。

TC：「換成是我病了很虛弱，你會對我這麼有風度嗎？」

韓進忍不住笑：「我看到你病了很虛弱，只會立即打九九九，讓救護員把你抬走。」

TC：「這就是你最隱性又最明顯的答案。」

韓進內心明白對方的意思。TC見他在沉思，續問：「你在追求她嗎？」

「爲什麼要這樣問？你是什麼意思啦？」韓進尷尬了。

「她好像有要好的男朋友。」

「是嗎？嗯。」韓進走開了，他不想讓TC看到他的失落。一分鐘內，TC的無心快語使他冷不防被無形的力量推跌了。

她原來有要好的男友？連TC也知道的，必定是公開的事實。爲什麼只有他一個傻傻的以爲她是孤身一人？

幾天之後，嚴雅亭登入內聯網後，看到他留下的信息——

Hon j：

阿亭，早上我在遠遠的地方看到你，上班了？我看你精神多了。剛康復，請不要太操勞。還有一件事，我很抱歉，我陪你去醫院的事變成了不必要的傳言，很對不起。這不是我預期的，絕對不是。如果你需要我來澄清，我替你辦妥，免得你不安。

（Jul 19　12:24）

自TC的「提示」後，韓進便提不起勁，心情鬱悶。他本來想正式問她拿手機號碼，他一向只有她的工作號碼，但他壓抑着不問。現在，他內心只擔心她誤會他，誤會是他把傳言傳出去，令她困擾。那晚，原應由另一位男子看顧她，他的出現好像阻礙了她的男朋友來看望她。韓進又失落又後悔，自己眞有點急進了。

嚴雅亭在線上。打從兩個小時前她回來後，她就登入了內聯網系統。她在等他。她的確會在剪接室附近跟他遠遠地點頭打招呼。自從被他送回她獨居的家，自從跟他說「謝謝你……謝謝你這兩天的照顧……」，自從看着韓進步出她的寓所後，她想念他。她以爲自己在夢裏會跟趙爾遠相聚，但當她徘徊在虛與實之間，韓進捉着她的手，在一端拉扯着她。她跟韓進來到了這一步，二人的關係到底算什麼？

Yimnt:

我們需要澄清些什麼？不用擔心，我猜是因為那晚讓M和其他同事看到我病了又願意由你接送我離去而引起的吧。我好多了，不用擔心我。

（Jul 19　12:39）

韓進發現嚴雅亭在線，他繼續打信息——

Honj：

你為什麼那麼早上班？（Jul 19 12:41）

Yimnt：

對，我今天早了點回來，以後也會長時間上中班。（Jul 19 12: 42）

Honj：

那我們可以面對面聊天了，不用光靠看隔夜的留言。我可以問你拿手機號碼嗎？我的請你先抄下來：987823X2（Jul 19 12:50）

嚴雅亭知道韓進問她拿電話號碼絕對是醉翁之意。

Yimnt:
你這「9」字頭的是私人的吧?我們的工作手機號碼是「6」字頭的。你不是已經有的嗎?
(Jul 19 12: 52)

Honj:
我知道。但你仍願意抄下我的私人號碼嗎?
(Jul 19 12:56)

Yimnt:
願意^^
(Jul 19 13:01)

Honj：
那天我給你弄的白粥好吃嗎？
（Jul 19　13:03）

Yimnt：
好吃^^
（Jul 19　13:05）

Honj：
願意抄下我的號碼？@@" ??
（Jul 19　13:08）

韓進被她融化了，開始懂得爲她畫可愛的符號，她噗哧一聲笑了出來。

Yimnt：

我不是說過願意嗎？ ^^ （Jul 19 13:11）

Honj：

那你的……？ ((()*＿*())) （Jul 19 13:18）

半晌，韓進的手機震動了，屏幕上顯示是嚴雅亭的來電。

「Hey!」韓進首次接她的來電。

「嗨，韓進！你有英文名字的嗎？」

「Gene。Gene Hackman的Gene。」

「OK，Gene Hon. 認識你那麼久，現在才知道你的英文名。很好聽也頗冷門的名字。」

「呵呵。是的。但你沒有英文名字。中文大學新聞及傳播系畢業，二零零五年五月才加入公司。這是你第一份工作嗎？」

「你怎麼知道我那麼詳細的資料呢？」

「因爲……我看了同事紀錄資料庫。那裏詳列了大家的姓名、工作部門和內線。」

韓進已暴露了自己過分關注她的秘密，嚴雅亭當然不會怪責他。能得到這般優秀的男人關懷自己實在是一種榮幸。明明有工作要預備了，卻捨不得掛線，她很想繼續聆聽他沉穩的聲音。

「韓進，謝謝你。」

「又謝我什麼啦？你今天說了大概二十幾次的謝謝。」

「我們是同事，但我好像一直在麻煩你。」嚴雅亭說得言不由中。

韓進強忍着失落：「嗯，對，我跟你是同事。怕傳言傳到男朋友的耳朵去？」

「嗯，對，我們感情很好的。不過，我沒有想到這會影響到我跟你的友誼……」她到底在說什麼？在愛情的世界裏，無論是對新人還是舊人的牽連，她只有剪不斷，理還亂。她從不曉得爲「韓進」跟「趙爾遠」分配合適的位置。

韓進苦笑：「這我知道。大家都知道你有要好的男朋友，只有我一個不知道。」

配樂　**張震嶽《路口》**

一個人走　無聊的路口
我還在做夢　以為你會喜歡我
我的希望落空　而香菸不離手

扭曲我所有　我想要愛你卻迷失了我自己

半晌，他不甘心的問：「那……爲什麼……那天你進醫院，他一通電話都沒有？」

「喔，嗯，是他、是他……他出差了，還沒有回來。」她搬出如此的解釋。

「OK。原來如此。」雙方再度陷於寂靜。半晌，韓進說：「我有事情要辦了，今天要出外景，改天再聊吧！」

只怪嚴雅亭把話說得糊裏糊塗，實情她是在暗示她會珍惜跟韓進的友誼。但她說得亂七八糟，令韓進很失望，他想逃避現實，唯有匆匆忙忙掛線。同一秒，嚴雅亭也感到失落。

配樂　張震嶽《路口》（純音樂）

之後，二人倒是沒有再在線上平台留窩心話。嚴雅亭不理解他的心情。韓進不理解她的想法。自從他知道她有要好的男朋友之後，再加上有心爲她平息傳言，他壓抑着自己的情感，不想再有曖昧的行爲令她困擾。

愛神，卻偏偏愛愚弄人。

隨着嚴雅亭轉了中班，二人相遇的時間增多了，譬如她去買午餐，韓進總會很巧合地在她附近。有時是她先看到他，有時是他看到她。一向天不怕地不怕的韓進，面對嚴雅亭竟產生了遲疑與彆扭的感覺，他只敢遠距離地凝視着她。這該死的大監製，兩年前曾冒着被囚禁的危險也要帶着記者和攝製隊跟蹤古巴領導人卡斯特羅……如今面對這小女子，竟不能由中地表達自己的情感。

嚴雅亭在公司談得來的同事也不多。電視台本是一個吵耳的地方，也聚集着衆多無謂的、虛僞的、口若懸河的人。嚴雅亭獨個兒的時候，寧願耳根清靜。她這種個性只有韓進明白。他遠遠地看着她一個人進餐、一個人低頭看書。他很想走近，但他不肯定這會不會擾亂她的雅興。

就在遠處呆望她的同時，他看到嚴雅亭手中拿着《眞正的吻（A Real Kiss）》這本書。那是他們在台灣誠品書店逗留時，韓進爲她介紹的書。

他感到很意外，原來她沒有忘記他……喜歡的書。也許是默契，嚴雅亭抬起頭朝他這邊看，結果表情彆扭的韓進在她眼中無所遁形。

第5回

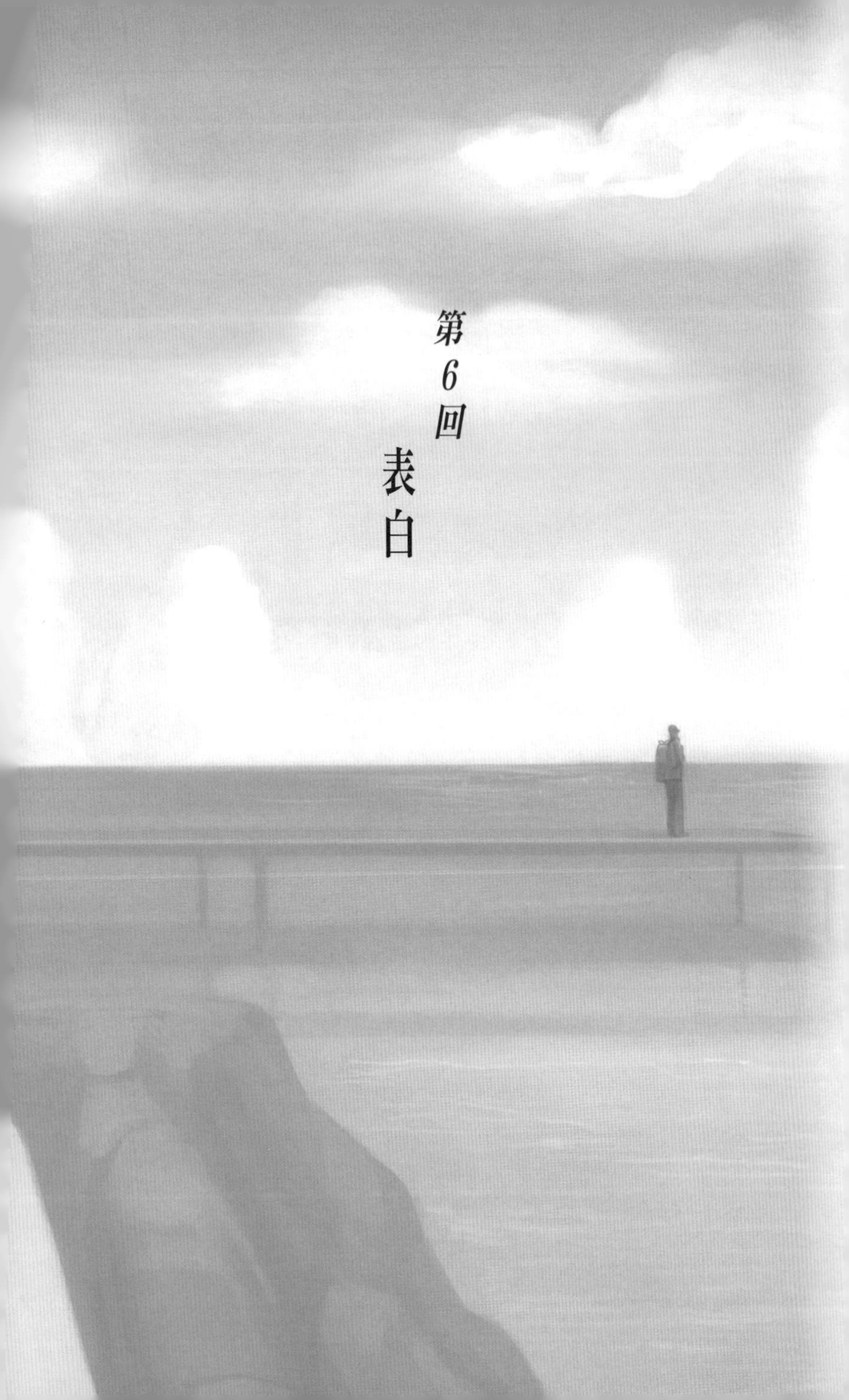

第6回 表白

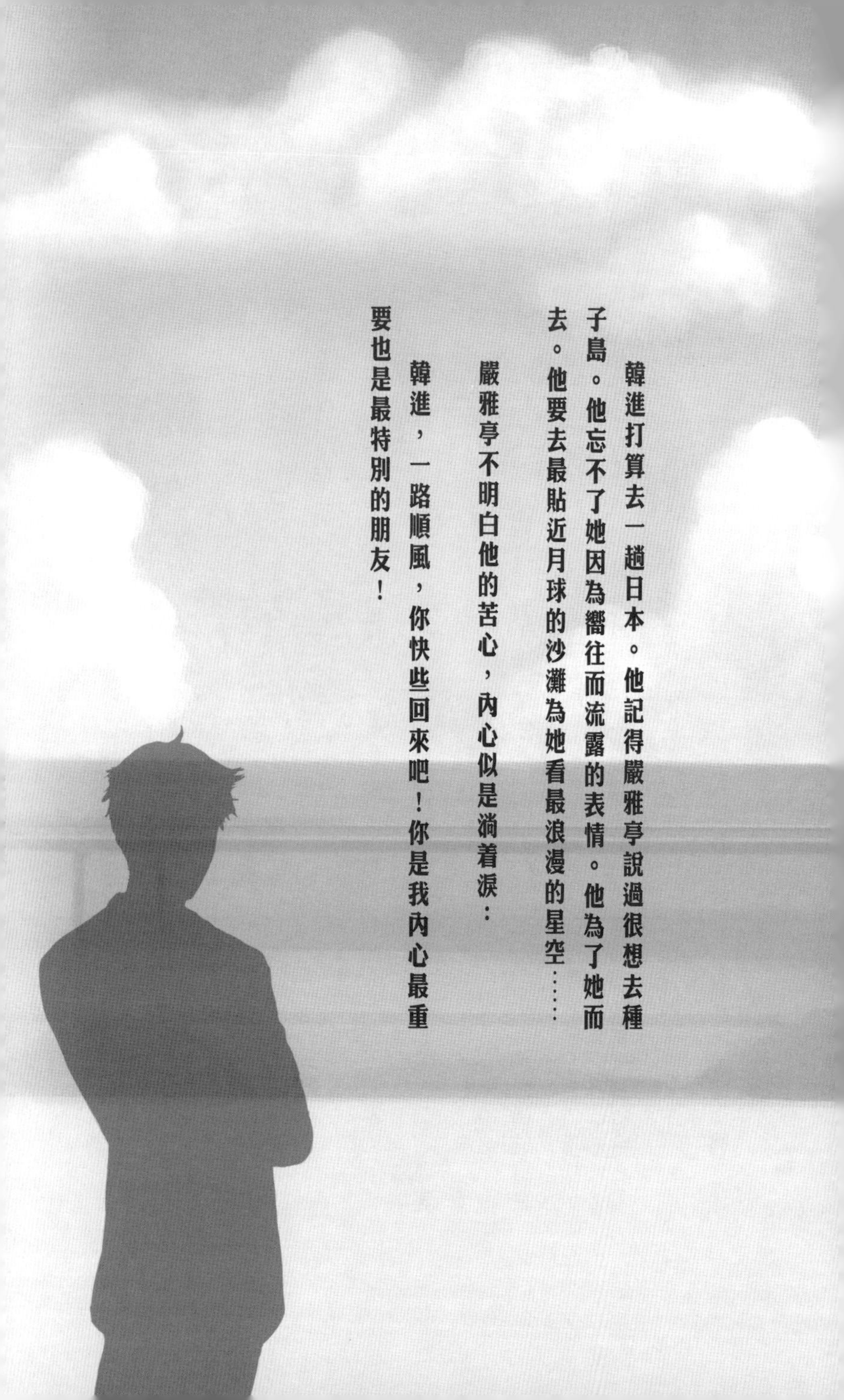

韓進打算去一趟日本。他記得嚴雅亭說過很想去種子島。他忘不了她因為嚮往而流露的表情。他為了她而去。他要去最貼近月球的沙灘為她看最浪漫的星空……

嚴雅亭不明白他的苦心，內心似是淌着淚：

韓進，一路順風，你快些回來吧！你是我內心最重要也是最特別的朋友！

這天嚴雅亭在資料檔案室找七十年代香港暴動的新聞片。她背部碰到了一個人，她回頭跟他說對不起，原來是韓進。在窄長的通道他們又遇上，是面對面的不期然的第N次遇上。

嚴雅亭抬起頭來溫柔地盯着他：「Hi，你好。」

韓進溫情地問：「Hi，你好嗎？」

她小聲的說：「你製作的節目，我每一集都有看。加油啊！」

韓進逗她：「現在你報道的時段集中在中午十二點半和三點，我可不是每天都有看。」

她莞爾了。她知道他跟她開玩笑。期間他的手機震動，那是一通有關公事的來電，他接聽了。嚴雅亭看他專心聆聽着同事的匯報，她不想打擾他，所以離開了資料室。韓進剛掛線時，看到她離開了，他趕快踏出資料室，看到她遠遠的背影快進入錄影棚，他快步追上去：「你為什麼走了？」

「我見你還在講電話所以就走了。其實我也找到了資料。」韓進瞥到她手上拿着一些光碟。

「你在忙嗎？」

「還好。怎了？」

「去喝杯咖啡？」

「不去了。我在忙。」她怯怯的說，因爲明明想推掉他的邀約。

「你剛才不是說不忙嗎？」

被揭破自己有心避開他，嚴雅亭難堪得一時說不出話來。韓進追問她：

「你在逃避我嗎？」

「我沒有啦，你爲什麼要這樣說？」

韓進再也按捺不住：「很久沒見過你，不想只跟你在線上聊。」

「我剛才碰到你也是很開心的。只不過，你都在忙了，所以就走開不煩着你。」

「爲什麼你老是要對我那麼拘謹？是不是傳言讓你……」

「你一向都不在乎這些無聊小事，你爲什麼改變了？」

「爲了你。」韓進竟然那麼直接。嚴雅亭在坦率的韓進面前，眞想找個洞躲起來。她瞥見這兒有愈來愈多同事進進出出，於是跟他建議：

「我們去別的地方……再談？」

爲了避忌，這次二人走到公司附近的三明治店一起午膳，店裏都沒有什麼人，幾乎全是店員在忙着。

「你幾乎都不休假，一周七天在工作，你不用跟好朋友見面嗎？」韓進問。

「我二十五號已放了假，那天我是……陪我的家人，我當作是順便休息啦。」她騙他。

「那……你的……男友回來了嗎？」

「喔，還沒有。」她衝口而出的說，說了又有點後悔。此刻在韓進的眼裏，她的神情、她說話的語氣似是背負了無窮無盡的心事。況且，事情太不合理了，他還是要追問：「還沒有回來？你上次不是說他出差了嗎？那已是……大概已超過兩個月吧？他其實是去了很遠的地方，短期內都不會回來嗎？」

韓進剛才提到了「去了很遠的地方」觸動了嚴雅亭的內心，她的心抽搐了，只能強忍着淚水。她不能讓這個他看到。她一直強迫自己絕不能接受新的人，快成功了，如果一不小心讓韓進覷到了專屬於她的悲傷，他必定很難過，必定更關心她，絕不會放下她。

配樂　方大同《三人遊》（純音樂）

「我剛有事，要走了。」她霍地站起來，只想馬上離開，只因堅強的她，絕不能讓淚水奪眶而出。

「你為什麼要走？」韓進索性站起來抓住她的手臂，還捉住她雙手，使

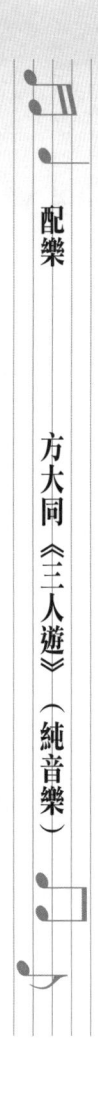

她面向他。她雙眼通紅。他小聲的問：「你這傻瓜是不是有事瞞着我？」

倔强的嚴雅亭搖搖頭。他溫柔地盯着她：「你跟男友有事嗎？跟他冷戰嗎？」

「你爲什麼那麼關心我跟他的事？」

「因爲我喜歡你，我對你有感覺，你是知道的。」韓進鼓起勇氣跟她說，他豁出去了！

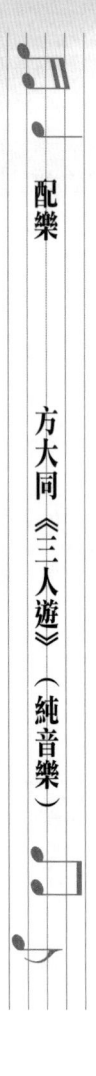

她沉默了，只端視着韓進俊朗沉穩的臉。她明白他要向自己求證她對他的感覺。

配樂　　方大同《三人遊》（純音樂）

在她的心中，她已有答案。可惜，爲表對趙爾遠的忠誠，她絕不能認，絕不能讓韓進闖進來，擾亂原本心如止水的局面。她正在苦思方法如何狠心地把這不速之客趕出去，務必盡快使他絕迹於她跟趙爾遠的國度。

韓進小聲的問：「請回答我，你是不是跟他發生了問題？」

「我們很好，好得很！」她擠出笑容卻同時蹙着眉，整個人的表情是多麼的不協調，說得多牽强！

韓進並不是容易妥協、容易放棄的男人：「告訴我，你是不是對我有感覺？你不要說謊！」

「我不能容納你，對不起。」苦惱的嚴雅亭簡潔地回答了。

配樂　　方大同《三人遊》（純音樂）

「原來我什麼都算不上，對嗎？」韓進好想她再給他一個機會。

嚴雅亭垂下頭。她無言以對。

「你爲什麼要低下頭來？爲什麼不肯面對我？」韓進一直沒有放開她的雙手。

嚴雅亭眼睛已沒有了聚焦的事物，也許韓進已是她視線裏的唯一。爲否定自己的情感，她只能側着臉呆望窗外的景物，包括毫無牽連的司機、懶洋洋的路人、綠油油的松柏樹、盯着她的小孩……愁眉不展的嚴雅亭明明看到天空放晴，內心卻只迴響着褪色的歌。

韓進的視線一直都沒有離開過她。縱使如此，也許他們邂逅的時間實在存在了落差。他戀上她，她卻視而不見，嘴裏說盡令他傷心的話。

終於，他努力地調整自己的情緒，半晌，他的手鬆開了她，逕自離開了餐室。

韓進走後，剩下她獨自一個，侍應和食客都一臉奇怪地看着她。嚴雅亭看到從窗戶射進的陽光剎那間收斂了，本來沸沸揚揚的塵埃恍似在沉澱。她趕緊把剛才借出來的光碟緊緊的抱在胸前，她內心蒼涼，需要一些東西放在懷裏，讓自己有少許的暖意。

回家後，她把全部與趙爾遠的合照拿出來，一張一張的按時序貼在牆上，製造專屬於她和趙先生的感情拼圖。在這種刻意營造的氣氛下，她期望每晚入眠後，本來令她感到最親切的趙爾遠能一如以往般在夢裏跟她相見，然後她會走到他跟前問他到底身在何方。哪管他是死了還是在生……她渴望他給她一個答案，而不是她欺騙自己，繼續爲自己編織一個等待十年百年的夢。

自那次之後，韓進身心失去了焦點，生活上總是提不起勁。其實跟嚴雅亭還未開始，感覺便像步向失戀。他內心只能狂問爲什麼要這麼的在乎？明明這世界還有許多優秀的女子讓他挑選，他卻偏偏只在乎……她。

韓進在幾天內忙完所有後期製作工作，跟公司告了長假。TC問他爲什麼要走得那麼急。韓進推說是自己太累。TC不信：「傳聞說你是爲了嚴雅亭而要放假逃避她。」

「神經病！她已經有了要好的男朋友，我怎麼可能跟她糾纏不清？」

「我了解你，但有同事在公司附近的café看到你牽着她的手，並聽到你跟她說的話。」

「我承認喜歡她，但她有選擇的權利，不是嗎？」

「放下了就回來，好嗎？你是全台最棒的製作人！」

「嗯。」韓進轉身要走了，TC在背後說：「如果放不下的話，何不勇往直前？」

韓進：「你在鼓勵我嗎？」

「我聽說嚴小姐的男朋友去了很遠的地方，扔下了她，所以她在等。」

「她男友到底去了哪兒？去了一些地方流浪？他們分手了嗎？」韓進竭力地問他渴望知道的事，可惜TC只能給他籠統的答案：「我不知道。我是跟你同期進來這電視台的，有關她男友的事應該是我們加入前已發生了。人家的私事，我也不能刻意去打探。」

韓進幾近自言自語地道：「她不等到他不甘心？」

「如果你放不下對她的感覺，就不要勉强。做懦夫絕對不是我熟悉的你的一貫作風。」

韓進向着他微微笑，然後轉身離開了。他一向是冷酷的人，沒有人可以分享他溫情的回應，沒有人可看到他的感性。世上只有三個人是例外的，那是他年前病逝的父親、好友TC和他戀上的嚴雅亭。

直到這一刻，「嚴雅亭」仍然縈繞他的內心。他不知道自己會否再鼓起勇氣做更多的事感動她。在她與另一個他在感情空洞期徘徊，韓進絕不想介入。在愛情的革命之路，他是勇往直前的武士，更是光明磊落的男人。

配樂　張震嶽《路口》（純音樂）

原來就在韓進決定暫時離開公司的翌日，嚴雅亭跟上司提出了前赴北韓採訪的建議。該國的領導人最近傳出了病危的消息，卻同步發射遠程導彈，向世界宣示了她擁有核武的實力。北韓的舉動成爲了世界焦點，但暫時沒有記者可陪同採訪主任一起深入虎地。就在台長苦思人手調動之際，嚴雅亭向公司提出了自己的意願。

「北韓政情複雜，不適合年輕又沒經驗的新聞工作者處理……」台長提出警告。

她堅定的說：「讓我去吧……我覺得能去北韓是極有意義的訓練。」

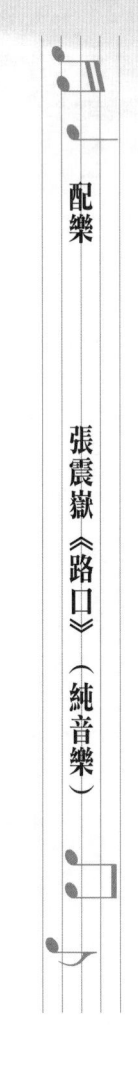

嚴雅亭內心認定要轉移視線、要淡忘某人，努力工作甚至前赴所有人都害怕的地方是最有效的方法。她並不知道韓進向公司告了長假，韓進也不知道她前往北韓採訪。兩個人自那次表白後，一直沒有再碰上，兩人都似是有意的迴避對方。

在放假的前一晚，他爲她留了道別話。

Honj：

再過幾天我會離開香港。回來後，再約你吃飯。保重！

（Oct 22　22:00）

嚴雅亭在線上，看到了他的留言，才知道他要放假了。她知道他是爲了她遠走。她明天也要走。當然，韓進並不知道她要去北韓，因爲沒有人知道她要去。韓進知道她在線上，他在默默地等她回覆，但她沒有。

「你可知道我是爲了『放下你』才去的？爲什麼你又要爲了我走？如果用『存在主義』闡釋我們的感情，我對你的狠是不是很荒謬，又爲你帶來了不必要的苦惱？

進，我祝你一路順風，快些回來吧！你是我內心最重要也是最特別的朋友！」

——這全是她內心默默爲他說的話。當然，她沒有把它們化成文字，更不肯親口說。

韓進走到她的辦公室附近，他看到她在房內。嚴雅亭正埋首於繁瑣的新聞稿之中。在遠距離看着她的韓進，當然不知道嚴雅亭只是假裝在看文件而已，此刻，她腦袋的每一個角落，何嘗不是被他完全地佔據？

「亭，我去旅行了，我去過那個地方之後，希望能放下你。我不想強迫你，所以，我會用『大哥』的身分繼續愛護你。你待我如大哥甚至是知己都可以，只要你肯讓我待在你的身邊就可以了。」——

這是韓進內心跟她剖白的話。

韓進打算去日本一趟，他不是去遊人常去的涉谷和東京，而是九州。他牢牢記得那一次嚴雅亭告訴他，她很想去種子島。他忘不了她因為嚮往而流露的表情，她笑意盈盈，眼眸瞇起來的嫵媚。對，他為了她而去。嘴巴說想放下她，卻不由自主地為了她而起行，他要去最貼近月球的沙灘為她看浪漫的星空……

配樂　張震嶽《路口》（純音樂）

幾天後，韓進在酒店入睡前收到好友TC的來電。

「嚴雅亭跟老總出事了！」TC語調急速的說。

韓進不能相信自己的耳朵。他用了最大的勇氣問：「她到底什麼事了？快說！」

第6回

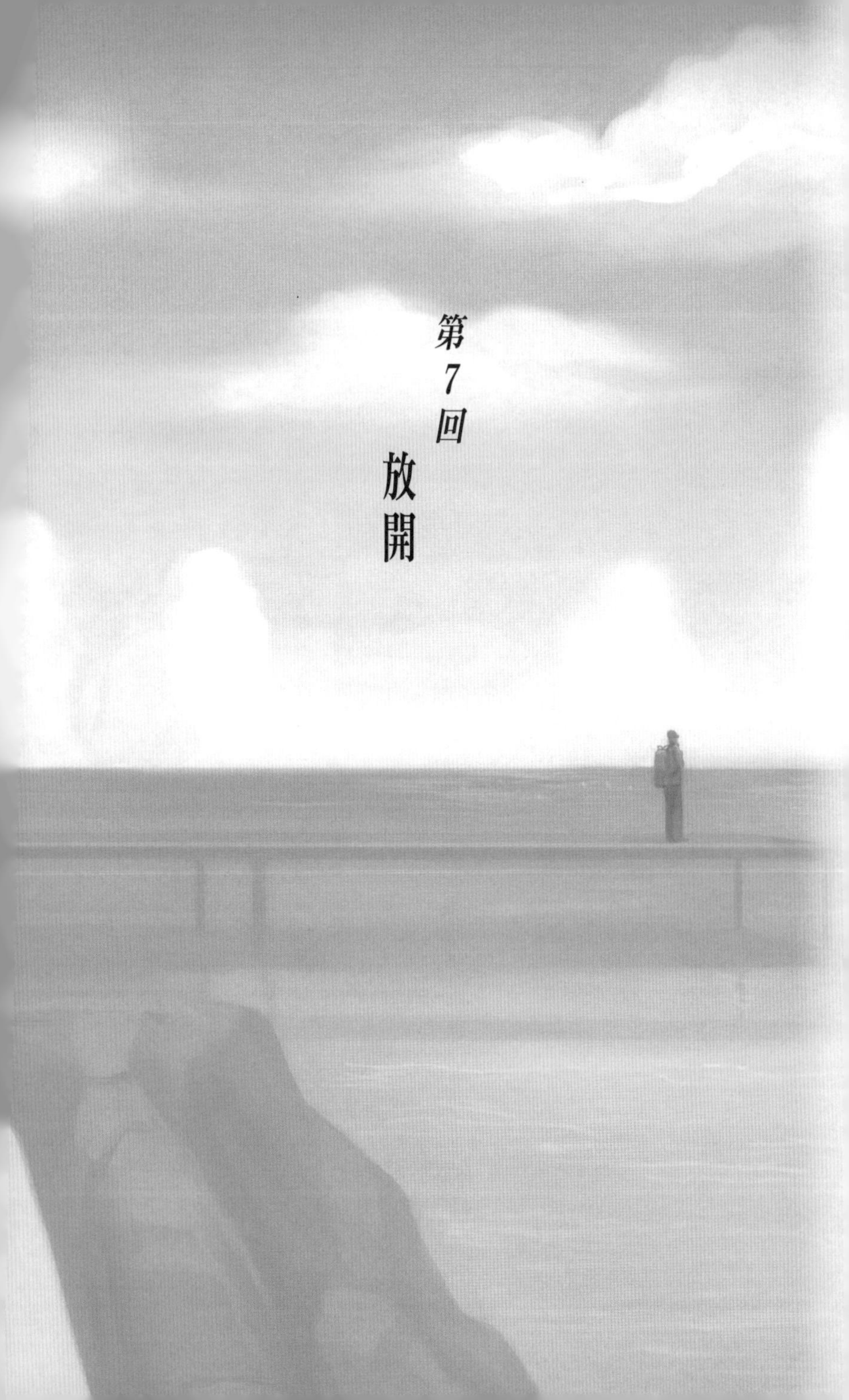

第7回

放開

韓進已是兩天無法入眠，有時累極在凌晨時分睡着了，哪怕房內房外只傳來如針頭跌在地上的微小雜音，這些奇怪的聲音都使情緒繃緊的他立刻醒來。

嚴雅亭說：

「我知道出事了，你一定來營救我。我需要你。」

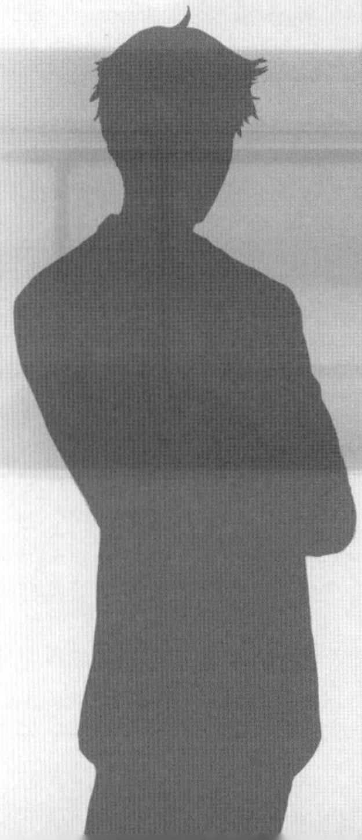

TC：「其實有一件事我們沒告訴你，北韓特輯的記者是她。」

「什麼？她什麼時候去了？爲什麼會派她去？」

「是前天，就是你正式放假之後的事，原來是由她陪同老總去北韓。」

韓進緊張得雙腳麻痺，頭上一片天旋地轉，浮躁的心跳不單未能抑止，還一直加劇。現在，他只能深深地呼吸：「她．發．生．了．什．麼．事？」

「她和老總同被北韓政府扣留，入罪的原因是『採訪手法有問題』及『非法進行拍攝』。他們已被拘留了一整天，消息直到今天才獲得證實！」

「你爲什麼不早點跟我說？昨天爲什麼你不跟我說！爲什麼？」韓進失控了，在電話裏狂罵TC。

「我不是說過大家也是今天才知道嗎？」

「但她不是一天前已跟電視台失去聯繫嗎？」

「很對不起，請原諒我，我本來就不是新聞頻道的人……」TC是娛樂頻道的導播。

「Sorry……」

韓進的心神徹底被嚴雅亭的事擾亂了，他不能再等，翌日的清晨便乘飛機返回香港。回來後，他第一時間回到公司詢問情況。由於北韓特輯一向不是他負責的，台長和其他同事對他的激動有點不明所以，韓進重申：「讓我去斡旋。」

「我們會處理，你先回家休息吧，不用太擔心。」台長安撫他。

平時酷斃冷靜的韓進現在急如熱窩上的螞蟻。他努力地嘗試再說服他們：「我在美聯社工作的時候去過板門店採訪，我有經驗，理解那邊的情況。懇求你們讓我去營救！」

「阿進，香港特區政府已跟中央政府聯繫，外交部會協助我們。你要冷靜。」台長見韓進此刻沉默不語了，他特意叫所有同事暫時離開會議室。如今只剩下他倆，台長忍不住開口問：「阿進，你爲什麼那麼焦急？你跟阿亭到底是什麼關係……」

韓進不想跟任何人剖白，唯有強硬的說：「這是我的私事。」

「好，那我只好問你，是不是很擔心嚴雅亭？」

「是！所以請您讓我代表公司去吧，我可以跟外交部官員去斡旋，接嚴雅亭跟老總回來。我在這裏會很擔心，會發瘋的！」

韓進對嚴雅亭關愛之情，在台長跟同事的眼裏已是表露無遺。一天後，公司得到特區政府的正式通知後，韓進獲准聯同新聞部總監P先生即日同赴北韓的首都平壤。

衆人抵達後被安頓於平壤的一所酒店，並即時獲當局接見，確定了嚴雅亭及老總干犯了「非法採訪」罪行。可惜，事情就此打住，當局代表重申二人的罪行後，並沒有明確交待事件的進展。「非法採訪」通常是極權國家對付國外媒體慣用的手法，嚴雅亭和老總已被扣押了超過四天，一個聰明、獨立卻又那麼可愛、漂亮、柔弱的女生在羈留所會遭受到怎樣的遭遇？朝鮮獄吏、冰冷的拘留所、劣等膳食、永無天日的封閉環境……無論是苦等消息的白天還是强迫就寢的晚上，韓進滿腦子都被這些不必要的恐怖景像折磨着，他不想嚴雅亭飽受這些不必要的虐待……

他已兩天無法入眠，有時累極在凌晨時分睡着了，哪怕房內房外只傳來如針頭跌在地上的微小雜音，這些奇怪的聲音都使情緒繃緊的他立即醒來。兩天時間過去，在其他人眼中韓進像消瘦了幾公斤……

配樂　成起京《認識的女人 아는 여자》（純音樂）

踏入第六天，陪同韓進一行人的中國外交部官員再度提出書面要求，讓他們跟被囚禁的香港記者見面，當局沒有即時回覆。韓進按捺不住了，竟然向中方提議「自己代替嚴雅亭留在拘留所」！他作出這樣的動議令大家同感驚訝，外交部人員拒絕了他，只着他耐心等待。

被外交部回絕了大膽的請求後，韓進整個人像失去了方向，返回酒店後，隨隨便便的就坐在大堂的沙發上。也許想嚴雅亭想得過分入神，當新聞部總監P先生走近，他仍是渾然不覺。P忍不住說：「你眞的很重視她。」

韓進冷不防被P這直接又冒犯的話嚇倒了。P是公司的高層，竟說出這樣的話，實在出乎他意料之外；不過，也慶幸有他的一聲嘆息，否則，韓進會以爲在這冷漠的世界裏，只有他一個人在守候嚴雅亭。

「嗯，我好愛她。」韓進心情雖然糟透了，但面對自己的愛，他直認不諱。

P：「阿進，你要加油！你愛的人不會有事的！阿亭雖然採訪經驗淺，但做事細心，觀察力强，她這次應該只是運氣不濟而已。她有你的支持，會很快獲得釋放！」

進：「已是第六天了，我眞的寧願代她坐牢。」

P覷到韓進雙眼通紅，整個人像要崩潰了。韓進小聲的說：「她只是一個小女生，朝鮮的男人……朝鮮的獄卒……我不敢想像下去了。」他思緒亂了，平時酷極了、渾身充滿領袖魅力的男人，竟爲了嚴雅亭大失方寸！

結果再僵持了兩天，韓進終於等到好消息！北韓基於中國外交部積極交涉，允許釋放CEH電視台總採訪主任W及記者嚴雅亭。

一眾人收到了消息後，趕往中國駐平壤領事館等候被釋放的二人。結果，再過了大概四小時的漫長等待，他們才在領事館等到二人回來，不，原來只有壯碩的中年漢W先生被送回領事館！嚴雅亭因爲在拘留所抗議絕食，在前天終因體力不支暈倒被送往醫院了，這消息使韓進的心情再一次直墜恍如二百公呎深的冰窖裏！

「她暈倒了多少天？爲什麼事情會弄成這樣？」韓進狂問W。

W一臉內疚：「很對不起！我沒辦法在這段期間照料她！我們是被分開囚禁的。她在拘留所發生了這樣的事我也是昨天才知道！聽說她暈倒了兩天……」

「我要陪伴她，直到她醒來！」雙眼通紅的韓進堅定的說。

當局安排了車輛送韓進等人去了平壤第二人民醫院，陷於昏迷的嚴雅亭被送進了編號名爲A2的單獨病房裏。所有人都渴望嚴雅亭盡早蘇醒，盡快離開這鬼地方。

此刻嚴雅亭此刻躺在牀上，手部被注射營養品，靜靜地沉睡了。醫生跟他們說她身體非常虛弱，主要是因爲她絕食了幾天，而且本身體質並不强壯，因此昏迷不醒。這晚將會非常關鍵，如果直到明天她還是不能醒來，她隨時有生命危險。

韓進不想再聽下去。院方格外開恩，准許他們留下一人來陪伴她。不消說，大家都明白就算院方不准任何人留下，韓進必定會留在任何跟她最接近的地方，徹夜守候她。

這幾天的折磨，嚴雅亭消瘦得不似人形，平時可愛緋紅的臉蛋變成今天的枯槁失色。韓進的心好痛，他坐在病牀前，捉緊她的手按着自己的臉，讓體溫能傳達到她的手心裏。

配樂　成起京《認識的女人 아는 여자》（純音樂）

韓進在她耳邊說：「你什麼時候會醒來？不要扔下我一個好不好？」

他深吻她的手。他情不自禁，把自己的銀色橢圓形戒指摘下來，然後套在她的無名指上，但男生戒指太大了，他改套在她中指上，尺碼還是不合，最後套在她的食指上。

「你快醒來！只要你醒來，我願意接受任何代價，包括……我接受現實：你不愛我、不接受我的結果，好嗎？」

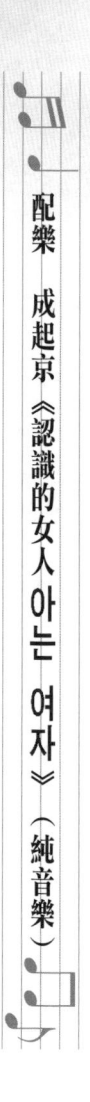

韓進陷入無窮無盡的矛盾中。一方面他把自己的戒指套在嚴雅亭的手上，這舉動明明是把對方視作愛人的表現；同時間，他絕對不能讓她的生命氣息溜走，他明白沒有東西比她的生命更寶貴。如果是天意，他唯有忍痛承諾捨棄對她的愛，也要換取她平安無事。如今留在她手指上的戒指，是他向嚴雅亭坦承的愛的證據；韓進會等待她醒來，如果她拒絕他，自然會狠心地把它摘下來。

配樂　成起京《認識的女人 아는 여자》（純音樂）

不知度過了多長的時間，漫長的夜終成過去。第一線晨光透過窗簾透進來，嚴雅亭醒來了。極度虛弱的她睜開雙眼，眼前只看到熟悉的韓進捉緊她的手，卻累得入睡了，伏在她的牀邊。她捉緊他緊握她的手。明知自己已軟弱得毫無力量，還是硬撐着身子，勉强地把臉貼着他的頭，告訴他：

「我知道在這裏出事，你一定救我。我需要你。我不知道是不是潛意識渴望被你拯救、渴望被你保護，不過，我在這裏闖禍，要你那麼痛心又那麼累，透支了全部的力量來照顧我，我眞的、眞的、好難受。很對不起，韓進！」

嚴雅亭等韓進沉睡了，才有勇氣跟他透露深情。她輕輕地甩開了他緊握着自己的手，然後小聲的叫護士幫助她解下點滴，但護士並不允許她自行起來，只見嚴雅亭緊張地把食指貼在嘴巴，請求護士安靜點，因爲她看到韓進倦極了，很需要多睡一會。半晌，嚴雅亭把放在牀另一邊的衣服蓋在他的身上。

韓進醒了。他坐起來趕緊看看嚴雅亭，卻不見她在牀上！他站起來，才

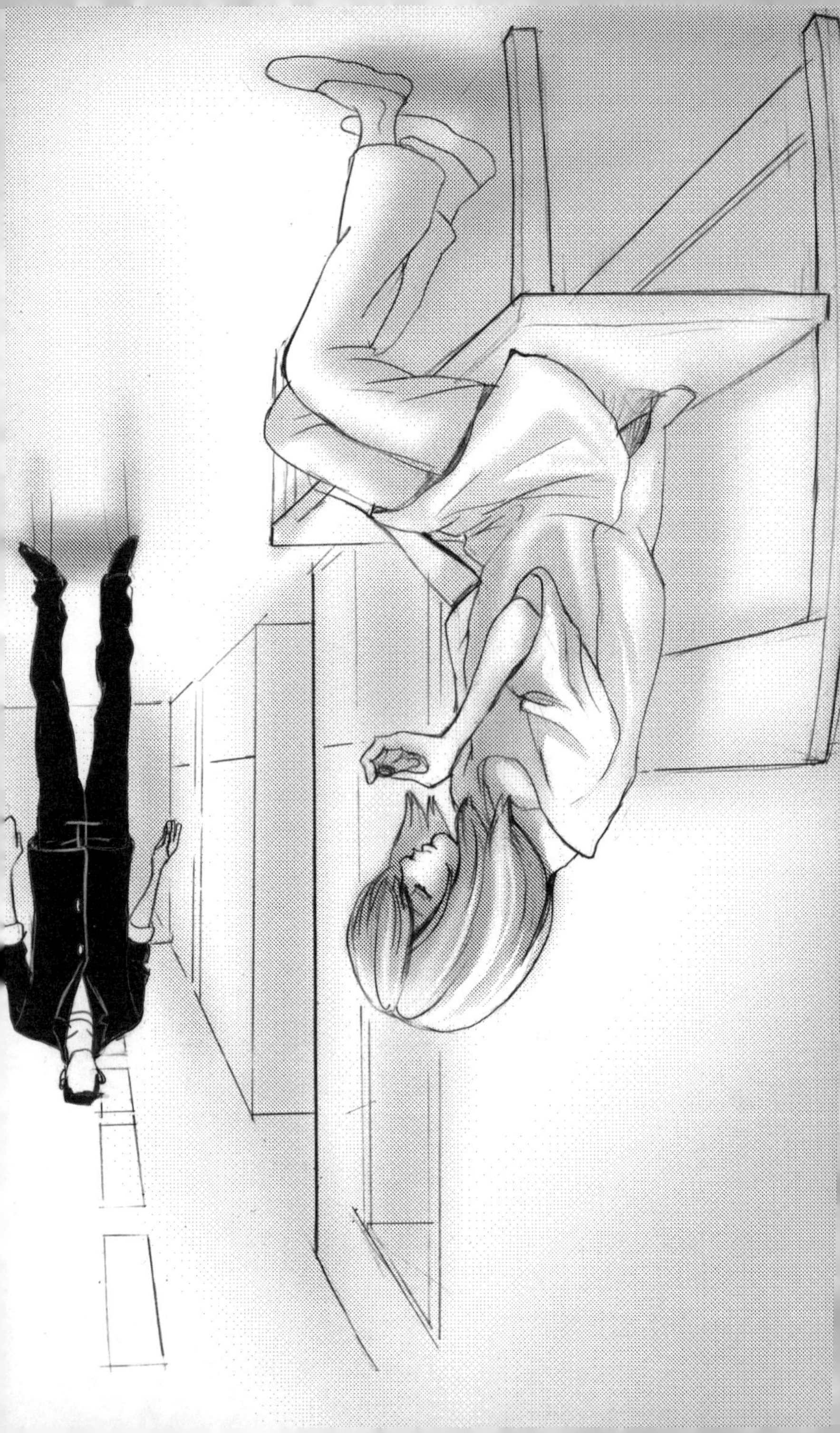

察覺到有一件粉紅色的毛衣從他的上半身滑到地上。他拾起來，意識到是嚴雅亭把它蓋在他的身上，但她去了哪裏？

嚴雅亭趁護士走開後，自己走到走廊的椅子坐下。她端視着韓進送給她的戒指，它的表面有特別的「gene 2006」刻字。她的心很亂，她很想接受，但明知道自己還沒準備好接受這份新的愛，她陷於迷思裏。她吻吻戒指，然後摘下它，放在掌心裏，思考了一會兒。可惜韓進在病房的大門看到她的時候，還是錯過了她輕吻戒指的一幕，只目睹她摘下戒指和一臉猶豫的表情。

他履行對自己承諾，就在她醒來後，放下對她的感情。

第8回 深化

韓進好想擁抱她，但他不敢。兩個人凝望對方，他早已感受到她對他已是情非一般。奈何，他認定她為了另一個更深愛的人而裹足不前。

他的遲疑沒有影響嚴雅亭，她堅定的說：「只要你需要我，我總在你的身邊。」

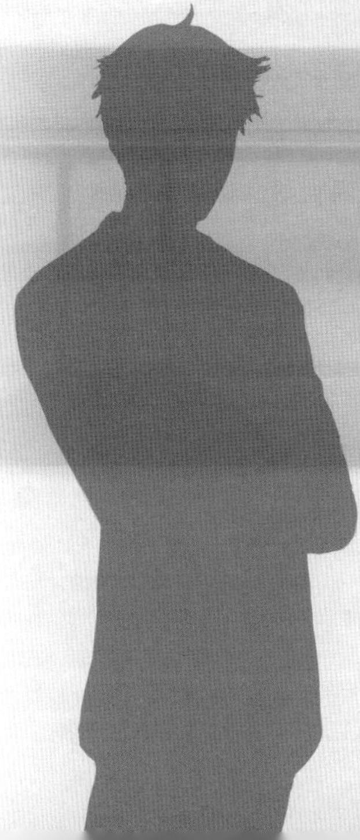

所有人終於安全回到香港。

配樂　成起京《認識的女人 아는 여자》（純音樂）

自從北韓被扣留事件得到圓滿解決後，公司安排了一個月的長假給嚴雅亭休息。就在一個月後，她回到公司才知道韓進已正式向公司請辭。這消息令她震驚，因為韓進是CEH電視台最受重視的製作人，加上他的節目收視高企，是成績拿滿分的監製，況且他加入還未夠兩年便突然辭職，這絕對是不尋常的做法。嚴雅亭主動打電話給韓進，但韓進沒有接她的來電。這是韓進回到公司登入內聯網後看到的信息——

Yimnt（- 離線狀態 -）：

阿進，你為什麼要辭職？那是因為我嗎？你為什麼被流言打倒了？

我有打過電話給你，你為什麼都不接？你OK嗎？

（Dec 22 17:30）

韓進並沒有回覆她。他心情有點煩悶，走到公司的天台沉思。未幾，他感受到有人走近，他沒好氣的問：「是TC嗎？幹嘛鬼鬼祟祟了？」

他回頭看，原來是她。兩個人一個多月未見了，韓進一直都沒有打過電話慰問她，自大家從平壤回來後，韓進便對她態度轉冷。

在大家沒有任何溝通和連繫的這個月裏，嚴雅亭很介懷他無故變得冷淡。其實她收下了韓進的戒指，並修成適合自己無名指的尺寸，縱使沒有戴上，卻也沒有退還。

「你看來精神了不少。」這是韓進的開場白。從他望着她的眼神，嚴雅亭相信他對她的關懷仍是情非一般。

「可否告訴我爲什麼要辭職？我關心你，你知道嗎？你爲什麼要離開？」

「我離開不是爲了你。你不要敏感了。」韓進說得直截了當。

他今天戴上了灰白色的冷帽，整個人都消瘦了，深灰色的大衣配深色的修長褲子，和過往她熟悉的那位充滿自信、神采飛揚的韓監製很不一樣。

「阿進！」

「嗯？」他回頭看着她，那帥極了的憂愁表情，令嚴雅亭內心隱隱作痛。可惜，韓進竟沒有理解她起伏跌宕的心情。

他伸手摸一摸她的頭：「小妹妹，不用擔心我！我只是跟電視台的理念不一致，我不是被炒也不是被逼走，是我自己要求離開的。我一直很想拍探討亞洲極權國家的特輯，這當中自然包括我們的祖國。可惜，目前管理CEH的財團爲了要讓我們電視台正式進軍中國，正式拿到播放權，因而向台長和新聞總監施壓，強迫他們禁止我製作這節目。我對這種編採不能獨立的作風感到失望，所以決定離開。」

嚴雅亭不知怎的，竟然哭了出來。她一向很堅強，是不容易流淚的女子，連兩年前趙爾遠走了、屍首失蹤了，她都一個人扛。如今，她為了韓進的難題與困局竟然流下淚來。她趕緊別過臉把淚水擦拭了。韓進看到了，心觸動了。

「你為什麼哭？傻瓜。請不要擔心我，工作到處都可以找。」

「但你為什麼那麼衝動？現在找工作不容易呀！」

「哈哈哈。」該死的韓進竟然哈哈大笑。嚴雅亭生氣了：「難道我有錯嗎？你可以在找到合適的工作後才遞辭職信呀！」

「我已經接洽了一家著名的外資電視台，以自由身的方式跟他們合作，他們會有資金，我也找到資深記者P姐當主持。所以……」

韓進雙手用力地搭在她肩膊上，用堅定的眼神跟她說：「你根本不用擔心我。拍完這特輯，賣給有興趣的電視台，我便有收入了！現在我要集中精神跟助理做資料搜集，大概要兩個月的時間，所以離開 CEH 是恰當的選擇。」

嚴雅亭再跟他說：「如果你需要助手，請隨時找我，我一定幫你！」

韓進：「P姐會幫我，你也知道她在香港就等如美國的芭芭拉華特斯般享有崇高的地位，她是全港有名望的傳媒人，事實上製作中心也是看到我找了她才對我更有信心。所以，你要好好工作，不要爲我的事分神，OK?」

嚴雅亭第六感很强，縱使韓進不斷的安撫她，跟她强調前景樂觀，她仍是隱然嗅到事情並不會如此順利。她用堅定的語氣告訴他：「總之，只要你需要我，我就在你的身邊。」

面對她一而再再而三的承諾，韓進是相信的，因此，他內心相當的感動。他好想擁抱她，但他那雙搭在她肩膀上的手不敢順着自己的意願把她一擁入懷。兩個人在凝望對方，她還是有很多話想跟他說，他早已感受到她對他已不是一般朋友的關懷。奈何，他認定她還是爲了另一個更深愛的男人裹足不前，因此他絕不想拖泥帶水。某程度上，他乾脆離職，的確是爲了要跟嚴雅亭「保持距離」。他不暫別她，便會每天都碰到她，令自己心煩、令自己更難放下。

兩個月後。嚴雅亭從TC的口中打探到有關韓進遇上挫折的事，主要是P姐食言。她不明白原因：「P姐爲什麼臨陣退縮？」

「聽說她是受到咱們新聞台首席主播F姐的慫恿，她跟P是手帕交，所以該是費盡了三寸不爛之舌說服她不要跟韓進搭擋。」TC無奈的說。

嚴雅亭頭上一遍天旋地轉，忙問：「現在該怎麼辦？是否沒有了P節目都做不成了？」

「你很關心他。」

「現在不是開玩笑的時候！我很想幫他！我認眞的！」

「爲什麼你不直接跟他說？」TC笑着問。

「他不聽我的電話。」

「可能他閉關了。」

「那爲什麼你會收到他的信息，而不是我……？」

「我跟你在他內心的地位是不一樣的。」

「你在說什麼？」

TC嘆了口氣：「你不知道他當初執意離開公司是爲了你嗎？」

嚴雅亭沒有回話，因爲，這……也是她老早預料到的。TC看到她陷於苦惱中，他不明白這兩個人明明互有好感，爲什麼不能順利成爲一對？他們之間還有什麼障礙？

TC告訴她：「我年少時就認識韓進，這傢伙可以容忍自己孤獨一個，他絕不輕易為任何人付出感情，但是他對你……」

韓進對她的感情要由另一個男人表述，TC直截了當的話令嚴雅亭有點措手不及。TC倒也不以為意：「所以，他根本不想你幫他。」

「所以？為什麼？」嚴雅亭很是失望。

「你打這支電話吧，讓你跟他好好溝通吧。」TC把韓進的另一支手機號碼用SMS傳給她。翌日，她乾脆來到他居住的地方。晚上十時許，她看到他住的十八樓的那一層，每一戶都燈火通明。她給他打了電話。

配樂　**Coldplay《In My Place》**

In my place, in my place

Were lines that I couldn't change

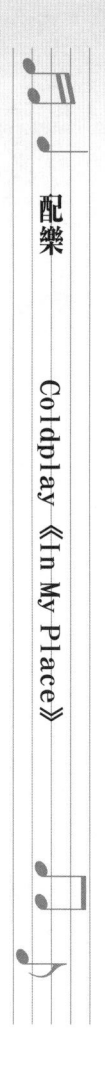

I was lost, oh yeah

I was lost, I was lost
Crossed lines I shouldn't have crossed
I was lost, oh yeah

Yeah, how long must you wait for him?

I was scared, I was scared
Tired and underprepared
But I wait for you

韓進躲在家裏。他看到那是嚴雅亭的手機號碼，內心很意外：「你怎麼

第8回

知道這號碼？」

「我們可以談一下嗎？」

韓進急忙穿上大衣走到街上跟她見面，豈料他看到她穿的衣服比自己的更單薄，想也不想便脫下自己的披在她身上。她捉緊他的手：「爲什麼不讓我找到你？」

韓進一臉嚴肅，只盯着她，嘴唇緊閉着。他似乎回復了他們初相識時的冷酷。

「我再問你，爲什麼不讓我找到你？」

「我想一個人靜一下。」

「我已經辭職了。」

「你在說什麼？現在找工作很難的，你懂嗎？爲什麼那麼衝動？爲什麼不找到別的才走？」

他的緊張換來嚴雅亭會心微笑。對，這滑稽的反應似曾相識。他離職的時候，她不是說過同一番話嗎？他納悶了，用關切的眼神望着她：「嚴雅亭，你爲什麼要爲了我辭職？在CEH人才不多的時候離去？這是多麼可惜的事呀！你一直都很有潛質，現在才是你起飛的時候！」

她跟他說：「一個人只要有才幹，到哪裏都可以闖出一條路。所以，我要加入你的團隊！」

「你是認眞的？」

「你就當今晚是面試吧。」

韓進沒好氣：「世界上哪有還沒有確定工作前就辭掉舊的？嚴雅亭，我告訴你，我的情況跟你不一樣。」

「有什麼不一樣？你小看我嗎？」

「自從三年前爸爸病逝了，我的家就只有我一個人。而你呢，還是要供養父母和妹妹。說實話，我現在並不能全職僱用你。」

「阿進，你不要也不用跟我談錢的問題。我是眞心想幫你的。你的事不能爲了沒義氣的P而停下來！總之我們把節目弄好，日後有了分帳，我才跟你算吧。我根本不擔心錢的問題。我有積蓄。」

韓進深受感動。事實上，他的計劃眞的被P打亂了。P姐在跟韓進簽約前被他曾得罪的F說服，因而決定退出合作。她不但一個人走，還帶走她帶來的助理，令韓進陣腳大亂。嚴雅亭的出現，是爲他雪中送炭。

「謝謝你，阿亭。」韓進憋不住了內心的感激，但他擔心與她朝夕相對，他根本不能忘掉對她的感情。

嚴雅亭理解他的苦惱，但她跟自己說，她回來找他，只是以朋友的身分幫助他，她不能讓韓進陷於困局。她要幫他。

之後，他們分工合作。韓進擔任總策劃人，聘用了幾位兼職的攝影師及燈光師等製作人員，嚴雅亭則全職協助製作這合共十集的新聞特輯。另一方面，韓進想栽培嚴雅亭，因此用了很長的時間說服出資的外國電視台，讓他起用嚴雅亭兼任主持。他們計劃利用三個月的時間拍攝香港以外地區的外景。他的好友TC中期也臨時加入兼任攝影師。

這幾個月，大家幾乎天天見面，有時工作太繁重了，日程太緊迫了，大伙兒在公司裏睡，以節省回家的時間，翌日又繼續爲進度拚命。因此，嚴雅亭跟韓進除了是工作伙伴外，亦難免變成了生活上的伙伴。縱使二人之間只是伙計和好友的關係，其他人總是看穿韓進對待她確實不一樣。他總是不避嫌把最好的食物、最好的東西留給她。在大家一起開會一起吃飯的時候，他盯着她的目光總是很曖昧又很在意。

任誰都不會覺得嚴雅亭有感情生活，因爲她總是隨傳隨到，總可以一星期七天都在上班，甚至工作到三更半夜；除了家人，也沒有其他人在半夜打電話給她。所以，如果她跟任何人坦承正在戀愛，那「頭號嫌犯」必定是韓進。

可惜眞相是，他們不是情侶。

在嚴雅亭的內心，她很怕很怕終有一天，韓進會憋不住又追問有關趙爾遠的近況。第一次她告訴他趙先生「去了公幹」，第二次再推說是「他還在公幹，仍沒有回來」。下次韓進再問，她應如何回答？但她不理解韓進，韓進早已明白她那位「男朋友」是二人之間的死穴，是他不能觸碰的敏感人物。但他甘心嗎？嚴雅亭開始思考這問題；因此，韓進甘心與否也成爲二人之間的「死穴」，變成她不敢觸碰的敏感之地。

這夜，韓進如常工作到凌晨。其他人都沉沉睡去，嚴雅亭也躲在影印室小睡。她在半夢半醒之間感受到韓進爲她披上薄被。未幾，她醒來了，她走到剪接室外偷看韓進用電腦替片子做後期。韓進這個人真多才多藝，不但是一個全能的攝製師，還是出色的節目制片人，到底哪個身分才是他最喜歡的？她只知道韓進的父親已病逝，但他從沒有提過母親甚至家庭的其他成員。他自己一個人住？他跟母親決裂了？她發覺跟他認識了一段長日子，他那麼重視她，卻對他一無所知。

韓進似乎感受到有人站在他背後很久很久了，回頭一看，是他的女神嚴雅亭。

「你不是睡着了嗎？」他看到她一臉倦容，卻站在後面，很安靜的模樣。

「沒有，都在看你做剪接。」

韓進向着她微微笑，嘴巴關切地問她爲什麼不去休息，內心卻渴望有她相陪。半晌，她走出去了，他有點納悶，以爲她連「晚安」都懶得說便離開了。他再度集中精神工作，半晌，嚴雅亭又折返，原來是她走到小廚房替他沖泡人參茶，小心地端到他面前。

他逗她：「爲什麼對我那麼好？要拍我馬屁嗎？」

嚴雅亭故意說：「我不熟悉非線上的剪接技巧，你可以教我有關的軟件操作嗎？」

「呵呵，原來你有詭計！但……你學來幹嘛？況且要我教你，我要領取小甜頭的。」

「人參茶是甜頭。」可愛的她回答。

「這……不夠。」他裝作很嫌棄她那杯……茶。

「不教算了，不打擾你。」她裝作生氣走出去，他中計了，忙拉着她的手。嚴雅亭這一次沒有甩開他的手。

他乘機捉緊，不鬆開：「不要生氣，我教你，但不要今晚，要趕工。」

「我明白的，先謝謝你。快喝下吧，這參茶用的是高麗人參精華，是私伙，不是現成的。」

她索性坐到他旁邊：「你不介意吧？我想看着你工作，我很安靜的，不會煩着你。」

韓進本來介意的，他只喜歡獨自工作，但面對嚴雅亭，他豈能抗拒？就這樣，韓進一邊喝下人參茶，一邊專心剪接。嚴雅亭累得伏在桌子上看着他，亦不敢再說話煩着他。

她不會承認其實是想找個藉口陪着他。在濃濃睡意下，她變得意識模糊……漸漸地，她睡着了，她再次在他身邊放鬆情緒，睡得很香。韓進看到了，他回去影印室把她丟下的薄被子再拿過來替她蓋上。他用手撥開她垂下來的頭髮，看着她緊閉的雙眼，內心有把聲音跟她說：「你要是我的女朋友有多好，我會好好愛你……」

下班了，韓進還是忍不住打電話給嚴雅亭，表面上是爲了工作上未有結論的理由繼續展開電話會議，但談了一會，大家開始聊工作以外的事。這天，嚴雅亭跟攝影組忙完深圳的外景。回家翌日，韓進便打來提醒她要繳交妹妹的學費、信用卡月費及電話費。

嚴雅亭很尷尬，她以往只跟他稍稍提過生活逼人的瑣碎事，但他竟牢牢記下。她感謝他：「謝啦！看來阿進你愈來愈像我的秘書。」

韓進：「你這傻瓜，還記得上次因爲忘了繳費，手機服務被中斷嗎？」

「好啦，好啦，只試過一次而已。」

他還是叮嚀：「記住了，手機費不要再拖；你妹妹念的是私校，學費也不能遲交；還有信用卡月費，要準時十五號繳交。我發了薪，你沒借口拖延的。」

她想笑，因爲他很嘮叨。

「爲什麼不作聲了？」他知道她在偷笑。

她乘機轉話題：「今天難得休假一天，爲什麼不睡晚一點？」

配樂　張震嶽《路口》（純音樂）

韓進很早已醒來，況且他根本不想呆在家裏。他們的特輯只剩下兩個月的拍攝日程，以後要找堂皇的理由出來見面已是無以爲繼。他認定嚴雅亭不會像他一樣經常思念她，只好退而求其次，打電話聽聽對方的聲音。

「你今天有什麼計劃？爲什麼又不睡晚一點？」

「我剛醒來，想整理一下明天的稿子。」

「我想見你。」

「嗯？想見我？我跟你幾乎每一天都見，你不膩的嗎？」

「錯。我們已有三天沒見，你去了深圳和廣州。」

「喔。那明天就可以見囉……」她怯怯的說。她意會到他非常想念她，更直認不諱。

「你不是老早答應教我玩skateboard的嗎？」

「也是不錯的建議。我以前教過同事的。」

「我知道！我聽過同事說你教得挺好的，反正有空，我們今天去？我很想學！」

「嗯，也好。我也不想呆在家裏。」一提到skateboard，嚴雅亭樂透了，也爽快答應！一時之間懶得理會韓進這傢伙到底是否……醉翁之意不在「學」。

於是兩個人忙裏偷閒，約定前往九龍區某大型室內滑雪場好好放縱一下。他先跟她一起做半小時的暖身運動，之後，嚴雅亭教導韓進入門動作，才讓他跟她在跑道上滑行。平時酷斃、似乎什麼都難不倒他的韓進，今天像笨笨的大傻瓜，總是失去平衡，常常跌下。嚴雅亭緊張得立刻把他扶起來，高個子的他有點笨重，她扶起他的時候顯得挺吃力的，但她更擔心他會弄傷自己：「記住，你要保持雙腳彎曲，避免傷及尾龍骨。」

韓進傻傻的點頭：「喔、喔，OK。我會記住。」

他竟有點享受自己倒下來的時刻，雖然姿勢滑稽，形象全毀，但他可以順理成章地「等候」被她扶起來，然後手牽着手一起滑行。被她輕輕扶起的時候，兩個人還憋不住的相擁大笑。對韓進來說，牽着她的手感覺好幸福，對嚴雅亭來說，牽着他的手是無可避免的事，只是她心跳加速了，她希望不要被他察覺。

他們玩了很久，隨便吃了頓晚餐，嚴雅亭準備騎機車回去，韓進堅持要送她回家，於是就坐在她的機車上，環抱着她的腰，陪伴她在路上飛馳。

嗯，對，當然是不懂開機車的韓先生坐在後面，但能跟她這麼親密，夫復何求？路上風馳電掣的感受，只有與她緊貼在一起才可以完全擁有！

配樂　　張震嶽《路口》（純音樂）

到了她的家，韓進依依不捨，他明知道明天又見面了，但內心總是好彆扭，不想離開她。

「謝謝你，我今天玩得很開心。」

「你快回家吧，對面有小巴。」她溫柔的說。

「今天是我這兩年以來最開心的。」韓進還是不肯走，望着她的眼神盛載着愛慕。

「你最開心的……不是我跟你說辭職了、要加入你的團隊的那天嗎？」

「那天我感覺很複雜，因爲我眞的不想你爲了我而放棄生計。」

溫暖漲滿了嚴雅亭的內心：「你還不肯回家？」

「你以後肯再教我嗎？」

「肯。只要你說的，我都會爲你做。」

回家了，嚴雅亭的承諾老是在韓進的耳邊、心底迴響。他要再探索她，他想到了一個很可愛、很「不像韓進」作風的方法。他先傳SMS給她——

（進）　我有一個心理測驗的題目。「男、孩、照、過、來」在這五字當中，請憑直覺選一個字。

她在考慮了。對這些女生才有興趣的玩意兒，大男人韓進竟深信不疑。既然讓他玩了又很準，心血來潮下就要試試嚴雅亭是否挑選他想要的答案。

（亭）　「來」。

（進）　OK，謝謝你。

（亭）嗨，你要告訴我答案呀。

（進）你很想知道嗎？

（亭）當然啦，你這討厭的傢伙！真賴皮！

（進）我從來都沒有說要揭曉答案，況且我就是那麼賴皮。

（亭）我不理你，我要睡了。你這討厭鬼，不要再給我SMS!

嚴雅亭看來很不滿，但她畢竟給他答案了。憑着這有趣的占卜題和她選中的答案，韓進更加不能安睡，他明白這是天意。

配樂　　張震嶽《路口》（純音樂）

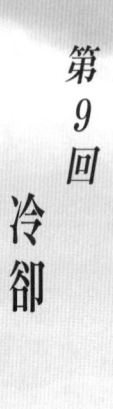

第9回 冷卻

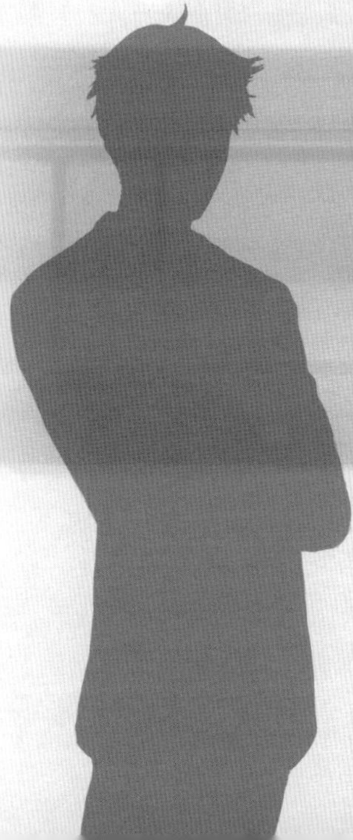

韓進從大衣口袋裏拿出一個杏色紙包裝好的小盒子，他想送給她的是一份源自日本九州的禮物，這禮物本來絕對不是計劃在這情況下送給她的。

嚴雅亭根本沒心情收下。她瞪着他：「我不配收你的禮物！」

嚴雅亭為求特輯更有看頭，事先沒得到韓進的同意，私下透過在日本新聞社工作的一位舊同學幫忙，在穿針引線下獲安排訪問緬甸民主領袖昂山淑姬！嚴雅亭認定這是黃金機會，因此直至這訪問獲確認後才向韓進匯報，豈料韓進的反應嚇了她一跳：

「太唐突了，我不確定能否配合你！」他冷冷的回應。

韓進的回絕像把冷水潑向一腔熱情的嚴雅亭身上，她冤大頭了：「你這是什麼意思？這是極難得的機會呀！」

「諾貝爾和平獎得主兼舉世聞名的民主領袖有那麼容易就接受一個香港記者的訪問嗎？」

「你是瞧不起我？」

「這不是瞧不瞧得起的問題，通常這類什麼中間人、秘密安排根本就是不扎實的承諾，再說昂山淑姬為什麼要接受我們的訪問？她本人有沒有透過助手跟你確認？就算你的朋友沒騙你，你以為緬甸政府會那麼輕易讓你過關嗎？」

「你根本不理解我的用心！你根本是瞧不起我！」嚴雅亭咆哮。

「你這個人老是這個樣子！」他也氣上心頭大聲斥責她！

「什麼樣子？」她反問。

「急功近利、衝動、不計後果！」

嚴雅亭聽到他這麼狠心的話，很傷心，更生氣：「原來我的努力只換來你這樣的說話……OK，那我乾脆不做，就看你以後怎麼說我是急功近利！我辭職了，不幹了！謝謝你的栽培！」

豈料韓進沒有因她的話而心軟，只用更嚴厲的語氣質問：「你可以發脾氣，但你發脾氣之前可否先回覆我的核心問題：一、你到底有沒有獲被訪者的親自回覆確認訪問？二、假設訪問獲准，有沒有具體的接待規格及細節安排，包括日子、地點、聯繫人物等？如果以上的問題我全都沒有答案，你叫我們團隊如何配合你這臨時加插卻又毫無保證的重量級訪問？難道要我們暫停所有的日程，還要超出預算？」

「你怎麼一口咬定我沒有把握？爲什麼要對我的安排抱着懷疑的態度？」

「那現在一一解答我吧。」韓進坐下來，示意她也坐下來詳談。

嚴雅亭自知理虧，因爲，對以上每條提問，她完全沒有肯定的答案。韓進猜得對，整件事確實只是她一廂情願地憑朋友所謂的口頭保證，而確定自己獲得這偉人的垂青。萬一韓進爲了迎合她，而號令攝製隊停下目前工作加以配合，那麼，整個特輯的製作進度勢必超支及押後。

她還是不服氣：「幹嘛你要把一個訪問說得那麼誇張？」

「拜託！那是要闖入昂山淑姬和緬甸軍政府的神秘領域……我們根本應付不來！我這個案子，只是中等投資的項目，況且我們又不是他們的員工，如果出了事故，製作社那邊根本不會出手保護我們！還有，我剛才不是問過你嗎？昂山淑姬被軟禁多年，她本人連國內的媒體也不能單獨見面，你認爲她可以見你嗎？做一個訪問其實沒有問題，況且昂山淑姬是偉人，很值得做，但如果當中牽涉了緬甸軍政府，我們需要從長計議，並不是單憑片面的資料或口頭保證便魯莽進行！」

嚴雅亭根本難以安靜：「韓先生，你罵完了嗎？」

縱使對面前的女人有多傾慕，他始終公私分明：「我根本還沒罵夠。我再問你，你到底有沒有具體的訪問安排？接待安排？行程安排？日子？接洽的人士？你根本還沒有答覆我！」

「沒……有，是我朋友剛……跟我承諾……」她怯怯的說。

「你朋友是什麼人？她爲什麼那麼有把握？」

「她……是NHK通訊社那邊的人，她老闆幾年前有圍訪過昂山……」

「就是那位還沒有訪問到昂山本人就已經誤中軍人槍彈身亡的松木志先生？」

「嗯，是。」

「就是了，我剛才那麼多的問題都是很基本的提問而已，你都沒把握。你NHK的朋友到底做了幾年記者？」

「韓進，你這樣子問是什麼意思？」

「要訪問一個如此偉大而背後牽涉那麼複雜背景的人物並不是兩個小女生就可以做得到的！」他又罵了。

「你根本就是瞧不起我！對，直到今天我確實還沒有很具體的安排，但難道明天、後天、大後天沒嗎？」

「那我們要等你大小姐多久？」

嚴雅亭雖然氣在心頭，但也實在無言以對。

「我再問你，我們不是本來就已經計劃好這十集的大綱、訪問方向、訪問嘉賓甚至外景的拍攝次序了嗎？」

「是。」

韓進嘆了口氣：「既然你知道，那爲什麼突然才跟我說你要去訪問昂山淑姬？我們不是已經拍到第九集了嗎？你可知道你隨隨便便一句說什麼下周去訪問昂山，我們整個團隊到底要如何配合？你以爲我們的規模媲美電視台嗎？我們只有幾個人！而且預算也很緊。我生氣也是因爲你沒有跟我事先溝通好，只管往前衝，只顧立功，根本沒考慮到事件的可行性及後果。」

「對，我只顧立功，完了這案子，我不會再跟你有任何合作。」嚴雅亭說得多衝動！

韓進內心很難過：「你爲什麼要這樣說？你爲什麼要說這些晦氣話？」

嚴雅亭有點羞愧，更下不了台，她不發一言踏出會議室。二人的爭吵讓所有在場的同事目瞪口呆。韓進雖然公事公辦，但他不知道從哪裏來的憤怒，從第一句開始已是得勢不饒她，完全沒轉寰的餘地，還說她急功近利，任誰都會說他有點過火了！

心愛的人拂袖而去，韓進不發一言，繃着臉，臉色難看死了。TC好言相勸，韓進卻示意他不要在此刻煩着他，結果所有人都離開了會議室，剩下他一個人在調整情緒。也許只有天知地知他那麼反對那麼激動，是因為不想她因一時急進捲進了政局的詭譎風雲。跑國際新聞的人，如果沒有強大的人際網絡、電視台的支持以及相當的經驗，憑一股衝動是隨時惹出無可挽回的禍。就像上次，她不是在北韓惹了麻煩嗎？

可惜，他剛才竟然氣得把「急進」說成「急功近利」……自己為什麼會那麼愚昧，用那麼强硬的措辭傷害她？他不是不相信她，反而是絕對信任她，就是因為這樣，他才擔心她可能被所謂的中間人欺騙。隔了兩小時，他鼓起勇氣打她手機想道歉，結果，她當然沒有聽電話。她呆坐在大廈的天台，眼底下盡是樓高三十層底下的街道、車子和微弱遙遠的燈光。景物變得模糊，也因為她雙眼充斥着淚水。訪問能否做得成反而是其次，但他竟這樣評價自己，嚴雅亭想到這裏才知道他對她有誤解才是讓她最介懷的事。

她哭了，她原是那種不會哭的女生。上次哭……天呀，居然也是為了韓進這壞蛋！就是他為了實踐理想離開 CEH 的那次！

她承認，她愛上了他。

她眞的爲他好，爲他的案子好，一心想爲他的工作加添噱頭。她才不是什麼急功近利……韓進爲什麼要誤解她？對，她的確在整個事情上安排得不妥當，但韓進爲什麼要在衆人面前奚落她？

再過了一些時間，她收到來自韓進的 SMS:

你在哪裏？很對不起！我親自向你說一百次「對不起」好不好？I am sorry! 原諒我。讓我好好的再跟你說，好嗎？

（進）

韓進後來猜到她躲到天台了。原本他自己想來這裏透透氣、吹吹風，他在梯間打 SMS 給她的時候，她手機的音樂由遠而近傳到他耳邊，讓他發現了她。

他坐到她身旁，她氣得馬上要站起來，他拉着她的手：「對不起！」

嚴雅亭用力甩開，她不想跟他說話，她不明白他的心。她甩開他的手後逕自走遠，他在她背後高聲說：「是我愚昧的話傷害了你，我跟你說夠一百次、二百次對不起好不好？」

嚴雅亭停下腳步，她稍微冷靜下來了，也好，這場爭吵產生了另類的作用，那就是讓她對他的感情降溫。況且，她是有始有終的人，無論是她選擇了辭職還是留下，她不過是要完成自己為韓進承諾過的事，因此，她回到他面前：

「我會留下，把剩下的事做完。但……」她用灼熱的目光盯着他：「這不代表我同意剛才你對我的抹黑……」

「我沒有抹黑你，我很後悔我語氣是太重了，但我不是存心的……」

「但你說我急功近利我好難過……」她又哭了。像小女生一樣在仰慕的男人面前垮下來。

韓進：「實情是我不想你有危險，我真的不想你有危險，你再闖禍會讓

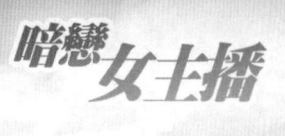

我很擔心……」

「你爲什麼不相信我？」

「我相信你，但你太急進了！」

「我做事不夠成熟，你是罵得對的，我沒話說，這全部都是我錯。所以我說不幹了！」

「我不想你走！你爲什麼因一時之氣便離開我……這團隊？我上來除了向你道歉外，還是希望能夠跟你好好談如何跟進昂山這訪問。我協助你進行好不好？」

嚴雅亭不想他可憐她，她覺得如果要他超支，而且在陣腳大亂的情況下達成她的願望，她寧願不幹！反正他剛才不是在衆目睽睽下狠批她這訪問的難度嗎？

韓進見她沉默，雙眼噙滿了淚水，他的心很痛。爲了讓她破涕爲笑，他要送她這份禮物——

韓進從大衣口袋裏拿出一個杏色紙包裝好的小盒子，遞給她：「不要再生氣了，我們兩個都有不對。這份禮物我送給你當賠罪好不好？」

他想送給她的是一份源自日本九州的禮物，這禮物本來絕對不是計劃在這情況下送給她的。無奈，羞憤未平的嚴雅亭根本沒心情收下。

她瞪着他：「我不配收你的禮物！」

她不肯收下，還在離開他的時候不小心碰跌了盒子。

她走了。剩下韓進呆呆的拾起他最單純的心意。精巧漂亮的盒子裏全是種子島的沙粒。現在被拋在地上，盒子的邊有點破，少量沙粒灑了出來。他很失望。

都說盛怒中的人容易失去理智做出傷害對方的事，之後，又會獨自懊悔。像她。在拂袖而去後，路上，她很快就後悔了，很想跟他說對不起。

縱使如此，嚴雅亭還是刻意地對韓進冷冰冰。她只會爲公事才跟他溝通，下了班，也不會接他的來電。像今晚，整個特輯最後的外景拍完了，拍攝的地點是台灣。他們住在台北的名勝圓山飯店附近，一家中等的小旅館。

嚴雅亭有點感冒的迹象，所以不參與慶功便先回房休息。洗了澡，也睡了一會，精神好了一點。她坐在牀邊，回想這幾個月過分忙碌的生活，也許太投入工作，她難以在夢境裏再看到趙爾遠的影子。她拿出手機，打開了相片檔，找到了跟趙爾遠的合照。看得入神，半晌，手機瘋狂地震動，屏幕上閃耀着的是韓進的來電。她不會接，因爲，她跟自己說好了，隨着這案子正式完畢後，她不會再見他。於是，狠心的嚴雅亭把電話放在枕頭下，安靜地等待他掛線。

鈴聲停止了。她把手機拿出來，韓進的 SMS 傳過來了——

（進）　我擔心你，我買了一些白粥和小點，方便拿上來給你嗎？

她沒有回覆。她硬起心腸，寧願抱着枕頭，把頭埋在枕頭裏……哭。她搞不懂這些淚水到底是爲誰而流。

嚴雅亭住的樓層並不高，只是四樓，韓進站在下面的草坪上眺望她房間的露台，內裏仍亮着光。韓進知道她在迴避他。他感到無限、無邊、無以名狀的失落。他提了大包小包的夜消站在樓下，除了食物外，他還有一樣特別的禮物想再送給她……

尾曲　　方大同《三人遊》

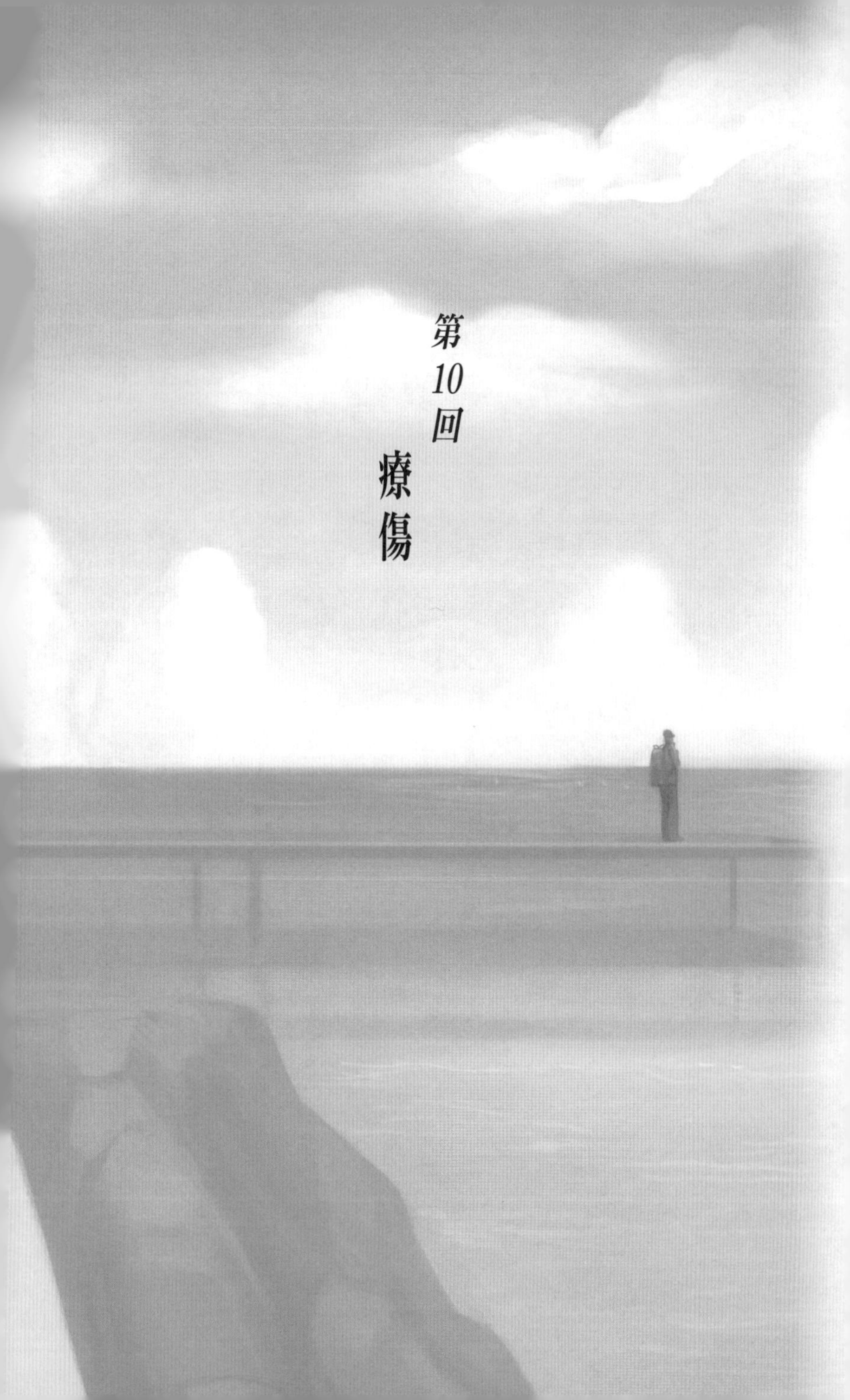

第10回 療傷

韓進迫不及待想告知她，他在未來為她奉獻的愛將
會是三倍的所向披靡。
可惜，嚴雅亭說：
「為了他，我要離開你。」

眾人回到香港之後，當嚴雅亭忙完旁白錄音工作，便不用再參與其他的後期部分，因此，她的工作基本上已正式結束。

她決定不再跟韓進見面。期間，她收到他的信。那是他抄寫了一百遍「對不起」的心意卡。

亭：

兩個月了，為什麼你還是對我不瞅不睬？我履行承諾，罰自己抄寫一百遍「對不起」。你收下之後，可否就此原諒我？

對不起、對不

第10回

起、對不起。

Love,

進

自從為昂山的訪問而吵架後，他們一直沒能回復往昔的熟絡。她內心絲毫不受感動是騙人的，但她心意已決。從台灣回來後，呆在家中的她決定讓身心重新回到懷念趙爾遠的精神狀態。為了她定義下的所謂「新生活」，她積極找工作，她忘記了向他承諾過要繼續教他skateboard的承諾，她誓要開始過「沒有韓進」的生活。

另一方面，韓進從好友TC的口中，終於知悉嚴雅亭的男友名叫「趙爾遠」，而且在秘魯失蹤多時。在電子新聞檔案裏的資料庫，韓進輕易查到這男子的往事，結果是這樣的——

- 廿七歲香港男子趙爾遠在秘魯首都利瑪以西的近郊失蹤……
- 趙爾遠已失蹤了超過三十天，秘魯及香港政府均認為他生存機會渺茫……
- 就在趙姓男子屍首還是沒被尋回的情況之下，其家人及親友在秘魯向警方表示了放棄搜尋的意願，並決定日內帶回其遺物回港及籌備葬禮……

韓進恍然大悟了，原來嚴雅亭在守着一個……應該已死去的男人。問題是，趙先生的屍首從沒有被發現，成爲嚴雅亭信念上的「盲點」。

今晚嚴雅亭想早點入睡。明天便是七月二十五日。她要出發到蒲台島。這是她一年一度的活動。她已安躺下來，手機卻有來電。她拿起來，那是來自她要苦心逃避的韓進。

她不想接，馬上按了「忙碌」鍵。一秒後，韓進還是再打來！她再按「忙碌」鍵，他再打來！她望着手機熒幕，韓進的來電鈴聲變得愈來愈吵耳。他應該是不會屈服的了，無論她要按多少次的「忙碌」鍵，他也會再打來，今天，他誓要她接電話。

她不明白自己的心意，因爲她不忍心關上手機，她先深深地呼吸，終於接了：「韓先生，什麼事了？」

「我在你門口。請你開門吧。」

「韓進，你怎麼上來的？」她不想見他，她眞的很怕很怕，她無路可逃了。

「你忘了嗎？去年我不是送過你回家嗎？樓下的保安員還認得我。」

「你找我什麼事了？」

「有些事，我要跟你說清楚！」

「有關工作上的？我不是都已經交接完了嗎？至於薪水……」

「我跟你之間只剩下這些嗎？我要跟你說一些話，說完了，你還是不接受的話，我立即走。」

配樂　成起京《認識的女人 아는 여자》（純音樂）

她緊張得全身顫抖，她只有兩秒時間做決定。韓進知道她習慣對他狠心。他準備隨時席地而坐，等到她開門爲止。

不過，他這次不用久候，因爲嚴雅亭心軟了，她把門和閘門開了。兩個人凝望對方，彷彿她知道了他今晚要來糾纏的目的，彷彿他知道她早會心軟給他開門——

「我要進來，我要跟你說很多很多的話。」

「在門口說吧。我不是很方便。」嚴雅亭低頭說。韓進見到她雙眼有點紅。

他看到她小廳的牆貼滿一個男人的拼圖。他幽幽的說：「你在悼念趙爾遠嗎？」

「不關你的事。」

「關我的事。他、成、爲、了、我、跟、你、的、障、礙。」

韓進這句充滿力量的話使她頹然，她跌坐地上。

他緊緊的抱着她問：「我還要再做些什麼，你才會接受我？」

她沒有回答他，只呆呆的望着他。這眼神是她想告訴他：她一早深受感動，可惜她不敢接受。韓進明白她的心情，但他不會屈服。他再也按捺不住，抱住她的頭想吻她。嚴雅亭豈能抵受得了他的誘惑？二人吻了許久，她回復了理智還是忍心推開他，但韓進還是抓緊她的臂膀，他不會放開她。之後，他用手托着她的臉：「我們在一起好不好？」

「你走吧，爲什麼要死纏着我？」

「你是喜歡我的，但爲什麼要死守一個永不會回來的人讓自己爲難？」

「我沒有承認過喜歡你。」

「我們剛才……我們明明是很有感覺的。」

「夠了！剛才我跟你kiss因爲是你硬來的，你這討厭的男人……」

「你不喜歡我，爲什麼要收起我的戒指？」

「什麼戒指？戒指是你的嗎？」她否認到底！

韓進不會放過她明明愛着他的線索：「這戒指是你在平壤醫院留醫的時候，我爲你戴上的。我看着你把它摘下來卻老是沒有交還……」

「好，我找找看，我還給你，我現在就去找找看，你等一等，你等……」

韓進拉着她的手，不讓她藉機走開，付出了的，他根本不想收回，他繼續熱吻着她……

吻了很久很久，她推開了他，說：「你走吧！我不需要你喜歡我！」

嚴雅亭雙眼通紅，堅強的個性再也包裹不住脆弱的內心。最內在的她享受他的癡纏、他的吻；外表的她爲了掩飾，她不能被韓進融化。

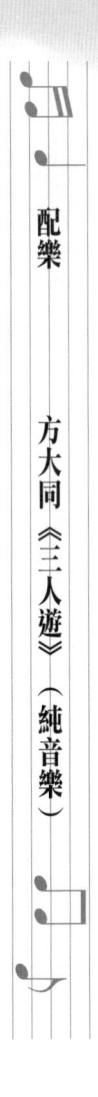

面對嚴雅亭三番四次的決絕，韓進泄氣了。他意識到再糾纏下去只有令她更討厭他。他放開了她，溫柔卻憂愁的看着她，然後轉身踏出了她的門口，推開防煙門走樓梯下去，終於消失於她的視線裏……

配樂　方大同《三人遊》（純音樂）

像過了大半天的光景。嚴雅亭呆呆的站在門口處，他走了，但她並沒有把門關上。她回想跟他兩度熱吻的片刻，瀰漫着難以抑止的無限甜蜜，是內心悸動的印證與完全融化的過程。從開始到結束，她根本不抗拒，她記得激吻時彼此的呼吸聲，二人鼻尖與鼻尖互相緊貼、扭動的糾纏，他的手抱緊她的頭和身體所傳來的溫度，她根本不想跟他停下來，但愚昧的理智戰勝了熱情，强迫自己拒絕他。直到窗外傳來了淅瀝的雨聲，還夾雜了雷聲，她才從思緒中回到現實。

「他沒有傘子，阿進他沒有雨傘吧？」她匆匆忙忙在屋子裏找到了傘子，連衣服都沒有更換便朝樓下狂奔，她要把傘子交給他，因爲天文台已發出黃色暴雨警告。

她在雨中狂跑、四處張看，她的身體濕透了，她後悔自己太笨，沒帶手機出來，他去了哪裏？這兒離停車場是很遠的！他沒有開車的話，這兒離巴士站離港鐵站也是很遠很遠的，尾班小巴也早已開走……然後，有個人從後拉着她，擁抱她，從他身上傳來的熟悉的香氣，她知道這個從黑暗閃出來的人必定是韓進。

兩個人在雨中的傘子下互相擁抱。韓進替她撑起了雨傘，嚴雅亭雙手抱着他的頭，替他擦拭臉上的雨水。她溫柔地問：「你原來沒有走？」

「我知道你一定會跑來找我。」

「萬一我不來呢？」

「我正式對你死心。」

「我不忍手讓你被雨打到，你不能病的！你還有很多工作要完成……」

韓進用嘴巴堵住了她的嘴巴，兩個人憋不住就在狂風暴雨下熱吻。之後，他沒有離開嚴雅亭的寓所，他在她的家留下來，待到早上才依依不捨地離開她上班去。

發生了親密關係後，那是否意味着二人的關係有所突破了？回到公司的韓進整天心緒不寧，幾乎整天都思考着這個問題，因爲在清晨醒來的時候，他偷看她，她應該已醒來，卻背着他，也沒有流露甜蜜的笑容。他憋不住用手親密地環抱着她，親吻她的脖子，但她沒有捉緊他的手，只有裝睡。他失落了，對她的冷更有點無所適從。時間不早了，他唯有起來穿衣服。

「我走了，我要跟製作中心的人開會，不能遲到。我稍後打電話給你。」韓進捉着她的手，跟她道別。他等了好久好久，她仍然沒有回話，他唯有相信她根本還沒有醒來。

隨着關門的聲音傳來，嚴雅亭睜開眼睛，她永不能忘掉昨晚跟韓進溫存後，她恍似在夢裏看到趙爾遠來到她的房門邊，看着她跟韓進親熱。她全身顫抖，她害怕的並不是幽幻恐怖的感覺，事實上，嚴雅亭沒有視趙爾遠爲死去的人。她分不清當看到趙爾遠「來」到她房間時，是置身於夢裏還是現實中。就算是現實，她不感到害怕，她只想問：「阿遠，你是妒忌了？是，我愛上了這個男人，在苦等你的漫長日子裏，我跟他纏綿……」

縱使她刻意的不起來，不穿回衣服，用耐性盯着靜止的四周、盯着門邊、盯着往下沉澱的塵埃，但趙爾遠沒有再出現，她沒法再等到趙爾遠回來看望她。

她起牀後，在牀櫃的頂部看到一個用杏色紙包好的小盒，盒子旁放了一張小卡。她打開卡片，裏面是韓進的字：

「我再送給你的，裏面盛載了你對我的影響力。

Love，進」

嚴雅亭拿起盒子，她搖晃它，內裏不是固體，好奇的她馬上拆開，原來包裝紙裏是一個盛滿幼沙的透明膠盒。她深受感動：「是種子島的沙。是我上次打翻的禮物。」

沙粒是癡心的韓進上次在天台要送給她的禮物，卻被盛怒中的她弄翻了。之後，他再用新的塑膠盒子裝好。盒底用上棉質的小方巾墊好，經歷了一些日子，部分沙粒仍是濕漉漉的，但不均匀的乾濕程度反而更自然，富自家製的感覺，盛滿他堅定又明澄的心意。

她把沙子放在耳邊，幻想他一個人獨自看星時背後落寞的海浪聲。她笑了，因爲，她那次跟他說自己想去種子島看星，只是隨便說說的無聊話，豈

第10回

料她一句戲言變成了他的使命。如果她告訴他眞相，這心高氣傲的王子會立即氣得七竅生煙？她明白幼沙比他送給她的戒指更具備了非凡的意義，因爲她每一句話都被他當成刻印心中的啟示，指引他開拓愛情的無限個可能性。

韓進果然很愛她，還愛她愛得太深了。

但自己爲什麼還要這樣的冷待他？還有，那次的愛情測試題的答案到底是什麼？她的答案是讓他受到鼓舞還是失望了？以他的個性，她的答案該是令他失望的，因爲韓進是愈遭遇挫敗愈會勇往直前的男人。

可惜的是，昨晚跟他纏綿一夜之後，她還是拋不下另一個他，她知道自己仍是走不出魔障。她要想出一個終極的自我拯救方法。

下午了，韓進很是掛念她。他打了電話給她，卻傳來打不通的信息。他不知道她去了蒲台島。決定跟新情人溫存之前，她早就計劃好在這天來到小島上緬懷她心中的趙爾遠。

韓進在電話裏留話：「你去了哪裏？我開會我工作我跟客戶吃飯也一直

在想你，你收到了我的禮物嗎？我下班後來你的家好嗎？」

也許忽冷忽熱是嚴雅亭對待韓進的愛情模式，就算她此刻收到他的來電，可能她也不想受到干擾，她只會站在這山頭，好好保留這時間這空間悼念趙爾遠。

可是，她眺望海面的心情已變得不一樣。明明站在藍天下，朵朵白雲只呈現稀薄的狀態，前景反而變得眞正的迷濛。

「阿遠，我很想告訴你，我眞的好想再愛一次！你允許我愛這個人嗎？」

坐在返回鬧市的渡輪上，她發現了韓進爲她留下的信息。她沒有即時回覆。陷於令人悵然的冰冷回憶跟恍如盛夏熾熱的新戀情之間，嚴雅亭居然感到進退兩難。

傍晚，她來到韓進的公司。她推門而進，這兒會是她非常熟悉的地方，在那段日子，她跟一幫手足每天都爲韓進拚命工作。她來回踱步，來到韓進的辦公室，裏面沒有人，想走了，轉身時才發現韓進就站在她跟前。

「嗨，你爲什要躲在後面作弄我？」她被韓進的無聲無息嚇到了。

韓進什麼話都沒有說，只趕緊把她一擁入懷。他拿了遙控器開了唱機播放 Coldplay 的歌，然後領着她跳舞。他們臉貼着臉，彼此的鼻尖緊貼在一起。他熱吻着她，她閉着眼享受這甜蜜得過分的激情。韓進的勇往直前、熱情奔放詮釋了男人瘋狂愛上女人的時候，他毫不猶豫的愛的表現。

配樂　Coldplay《In My Place》（純音樂）

兩人吻過後，在彼此窩心的喘息之間，他在她耳邊問：「我還要等多久，你才會認眞的對待我？」

「我要去一趟秘魯。我要去找他去過的足迹，走他走過的路，然後我就會回來，回到你的身邊，百分百的愛你，直到你不再愛我為止。請你讓我去吧。」

韓進肯定的說：「我會愛你一生一世。」

「眞的嗎？」她猶豫了，因為她曾經深愛的趙爾遠也曾說過同一句話。

她跟他說：「好，就讓我愛你直到永遠。答應我，當你不再愛我的時候，不要遠走高飛，而且讓我好好地獨自愛你愛下去。」

韓進緊閉雙眼，她對他的承諾與請求席捲內心。他願意相信嚴雅亭本來就是深愛着他。可惜她為什麼對已消逝的感情仍是那麼的繾綣？屬於過去的趙爾遠對她的影響力實在是所向披靡。但韓進迫不及待想告知嚴雅亭，他在未來為她奉獻的愛將會是三倍的所向披靡。

「讓我陪你去，我不會留在這裏等你。」他求她。

「為什麼？」她感到好意外！

「你會被他的過去完全牽引，你會留戀一切一切，你會淡忘我，你的心不會回來。」

「我不會。我只要經歷這旅程去治療傷痛就可以了。」

「療傷的過程才是最痛苦的。就讓我陪你走過所有所有痛苦吧。我要跟你在一起。我等你太久太久了。」

他的深情令她動容，有什麼推卻的話？

尾曲　成起京《認識的女人 아는 여자》（純音樂）

第11回 煙火（結局）

嚴雅亭跟趙爾遠說——
「再見了！從今天起，我釋放了，此生不會再記起你。」
韓進卻跟嚴雅亭說——
「我不會再等你。我要跟你說再見！」

他們到了秘魯的首都利瑪（LIMA）。嚴雅亭告訴韓進，在傳出趙爾遠失蹤的消息後，她曾陪同他的家人來到利瑪。秘魯的警方說趙爾遠的遺物是在利瑪近郊以西的卡亞俄港口給發現的。

韓進問她：「他失蹤的時候，身邊有沒有人？」

嚴雅亭小聲的說：「警方說他失蹤前是被搶劫的，而身邊是有一女孩陪伴他。」

他再問：「那你有沒有跟她見過面？」

她搖搖頭：「我等過她，不過她出院後竟然跟警方失去了聯繫。這次，我很想找到她。」

韓進看着她惆悵的表情，他恍然大悟了，嚴雅亭也許着意的並不是要追查失蹤的眞相，而是眞正來一次了斷，眞正地面對在趙爾遠生命裏最後出現的女人。

「那黑色鑲嵌了金線的日記是我最想尋回的東西。」嚴雅亭堅定的說。

但往哪裏找？他們早在香港通過朋友找來了一位懂西班牙文的導遊，爲他們在這次旅程中擔任嚮導及翻譯員，也許打破了語言的隔閡，嚴雅亭會較容易找到她想要的答案。

韓進提議再找當地的警方幫忙。警方對兩年前的人口失蹤案早已作結不予追查，但在二人苦苦的懇求下，一名負責的警官願意提供協助。他記得當時有途人報案，說目睹一對亞裔男女被搶劫，而男的爲了保護女伴而反抗盜匪，結果被挾持帶走。

韓進憑直覺提出疑問：「他被帶走後就一直沒有人發現他的蹤影？那有沒有抓到那幫挾持他的盜匪？」

「有的，但他們一直否認殺害他，而且我們根本找不到趙先生的屍首，很難入罪。我們當時按照匪徒供稱的地方，也就是卡亞俄港的市集，找到趙先生的遺物。」

韓進仔細的問：「嚴雅亭和趙先生的家人爲什麼從來沒見過這女孩？女

孩叫什麼名字？」

「她在出院後便失去了聯繫。我們在三個月後才再度發現她，並去過她住的地方，經調查後，發現她沒有可疑。我們再找到她的時候，嚴小姐他們剛好離開了本國。」

「她是……趙爾遠的什麼人？她叫什麼名字？」嚴雅亭怯怯的問警官。

韓進當然明白嚴雅亭問題的潛台詞，他捉緊她的手，她卻輕輕的甩開了。她仍然是很在乎當時這悲劇的每一項細節。她的精神已高度集中地推敲她曾經最愛的人、在他生命倒數前的幾天幾小時甚至幾分鐘前是如何度過的。以及最重要的：他的身邊是否已出現了比她更重要的女人？

警官不置可否：「我說過，她就是你們走後才出現的那受傷的女孩。她坦承自己失蹤是爲了治療自己的心理傷痛，離開她的家，到了別的地方暫住。她名字叫陳伶麗。」

警官的答案夠明顯了嗎？這女孩的行爲雖然教人費解，假設警方的調查屬實，她沒有可疑的話，剩下的，就是她和趙爾遠的關係到底是不是相當密切？

配樂　**Coldplay《What IF?》**

What If

What if there was no life?

Nothing wrong, nothing right.

What if there was no time?

And no reason or rhyme.

What if you should decide,

that you don't want me there by your side.

縱使女人的直覺告訴自己極有可能的答案，嚴雅亭仍死心不息的問：「可否讓我見見她？」

警官帶領他們來到這女孩報稱的住處，那是利瑪市中心最繁華的帕魯羅街，這兒有許多華裔移民居住於此。他們穿過迂迴曲折的橫街小巷，好不容易又折騰了老半天才找到那寒酸的住處，內裏只有一名華裔老婦，她說自己是陳伶麗的母親。

「你們要找利亞什麼事了？」老婦看到警察及幾位東方臉孔的人士到訪，情緒變得緊張。

「利亞？」「利亞」這名字曾是多麼的似曾相識，它在嚴雅亭的記憶中晃過。

「利亞是她的小名。」老婦的解答卻令嚴雅亭恍然大悟。「利亞」曾在

第11回

她懷念趙爾遠的夢境出現過。那夢境在神秘又煙霧迷離的島嶼發生，她聽到趙爾遠的聲音在向着她的方向呼喚「利亞、利亞」。而她走進那迷離的夢境的同一晚，她冰冷的手會被韓進牢牢的捉緊。她情不自禁地望着韓進，韓進回望她，並親切地捉緊她的手。他意識到他心愛的人應該想起了一些隱痛的線索，但他沒有追問，只默默地陪伴她苦候另一個她回家。

衆人在傍晚時分終於等到一名年輕俏麗、皮膚黝黑的女子回來。她第一眼便看到坐在客廳裏久候的嚴雅亭。她懂說中文：「你是趙爾遠以前的情人？」

「以前？噢，是的。而你是他的……？」嚴雅亭反問。

「我是他……最親密的朋友。」

韓進偷看着嚴雅亭的表情，一如所料，她繃着臉，內心被女人的直覺、妒忌心支配着。看着看着，韓進確實夠難受的了。

「我已經淡忘了這個人，你們爲什麼要再次出現？」

陳伶麗的話令在場所有人感到意外，她這句話更直接打擊了嚴雅亭脆弱的心。警官說：「這一對年輕人是想來跟你談幾句而已。」

陳伶麗說：「有什麼想說的？難道你們以爲我會殺害自己的意中人？」韓進以爲嚴雅亭會被「利亞」的無情話傷害到，但她表面很冷靜，暗地裏令他鬆一口氣。嚴雅亭問：「你是不是知道他葬在那裏？」

「我怎會知道？」陳伶麗雙眼通紅，嚴雅亭的質問似乎也令她的內心遭受無窮的傷害。

「他是爲了保護你而間接地失去生命的。」嚴雅亭幽幽地說。

伶麗沒有回話，她側着臉，在看着牆上的一張合照。嚴雅亭和韓進這才看到，原來那是一幀趙爾遠跟利亞的親密合照。事到如今，二人的關係已是呼之欲出。

「我是他以前的女朋友。既然你是他的女朋友，他有沒有留下任何本來屬於我的東西？陳小姐，這是我最後的問題。」

伶麗雙目緊閉，再待她睜開雙眼，淚水早已安靜地沿着她的臉頰滑下來。之後，她走進自己的房間，把一本外表黑色、四邊鑲嵌了金線的日記本交給嚴雅亭。

「他的日記。你放心，我不懂看中文，我不明白他的字。他應該是寫給你的。我沒有你的地址，所以沒辦法寄給你。既然你來了，我應該物歸原主。謝謝你肯放棄他，我才可以……跟他過了那段愉快的日子。」

利亞終於把這本記事簿交還給嚴雅亭。

他們跟陳小姐說再見了。也許，她懷念趙爾遠的日子也在倒數了。她拿着日記的雙手一直在抖，她內心的悲哀全被韓進看在眼裏。他曾承諾要以豁達的心情陪伴她經歷她必要經歷的痛，當時說得堅定，現在知易行難，明知要撐下去，內心卻充斥着妒意，心情變得無限的糾結。

他跟在她後面，二人經過了最繁華的烏尼昂大街，才到達聖馬丁廣場，熱鬧的四周掩飾不了內心正在擴散的蒼涼。她坐下來，韓進跪在她面前凝視着她：「我們回去旅館吧？」

「你不要管我，我想安靜一下。我不想回去，我仍是放不下。我需要時間，我需要哀悼他的時間。」

韓進長嘆一聲，他無奈又心痛地緊閉着雙眼，頹然的說：「你放不下他？但你可知道說這句話的人也應該是利亞？」

「若不是利亞，阿遠不會客死異鄉。」嚴雅亭雙眼透視着絲絲的憤恨。也許她說的是事實，但事過境遷，趙爾遠的逝去已是兩年前的事，但他卻陰魂不散，令深愛過他的嚴雅亭難以擺脫心魔。但她不是說過只在這裏療傷嗎？她卻被他的遺物困住了靈魂，她要哀傷到什麼時候？望着她失魂落魄的樣子，韓進快要心碎。

縱使她叫他走的時候眼神完完全全地沒有跟他接觸，縱使她的語氣彷彿視他爲可有可無的同伴，但韓進明白她，他願意再一次體諒她。他輕撫她的臉，騙她說他先回酒店。

他走開了，但他不會眞的走。他躲到附近的尼科拉斯德皮埃羅拉大街，隨便在那裏的廣場坐下來，遙遙地守護着她。呆坐了差不多一晚，嚴雅亭還是沒有勇氣把日記打開。利瑪的市集是出名龍蛇混雜的地方，她一個清秀美麗的女子能在廣場裏哭哭啼啼而沒有被人騷擾，也因爲深愛她的韓進一整晚陪着她、守護着她，嚴雅亭是他感情世界裏的唯一，只是她不知道。

直到早上，偌大的廣場就只有他倆。韓進身心都累了，但他强忍着，走到她面前，憐惜地看着心愛的人。然後，他再次跪在她跟前說：「回去休息吧，好嗎？」

嚴雅亭雙眼充盈着淚水。自來了秘魯後，她變成了愛哭的人。二人親自來到這裏找尋趙爾遠，但天意弄人，無論是他的屍首還是他的靈魂，已是注定永遠消失於這國度。

配樂　Coldplay《42》（純音樂）

嚴雅亭跟隨韓進返回旅館。他用濕毛巾替她抹去臉上的灰塵，然後擁着她睡覺。但她根本睡不着，韓進累極了，很快已進入夢鄉，還傳出了微弱的鼾聲。嚴雅亭撥開他濕漉漉的頭髮，見他臉上被悶熱的天氣弄得一臉汗珠，她用手帕替他擦拭，爲他開了窗戶，讓空氣更流通，之後，她爲他蓋好了薄被，離開旅館。

嚴雅亭走到街上，找到一架在當地很普遍的自僱車。她跟司機說目的地是卡亞俄港口。傍晚，她來到在趙爾遠遺物被發現的市集，再走到附近的海灘，她決定要在這裏，鼓起勇氣打開日記。

現在，她內心承受沉重得非筆墨所能形容的壓力，她終於終於要面對眞相。她等了兩年，好不容易等到了。她把日記捧在手中，但輕巧的日記恍如千斤重。

May 11, 2006

我來秘魯，本來是要找爸爸生前在利瑪出發到瓦努科的路，結果，就在逗留在卡亞俄港口的那一天，意外地遇上她。

希望在之後的日子，我會淡忘。時間是最好的藥，除非它失效了，令我忘不了她。

Jan 23, 2007

對不起，時間失效了，我騙了個要再去找尋爸爸足迹的理由，事實上，我要找尋的，是她的足迹。我有預感，雖然你今天不會看到這段文字，但終有一天，悔意與羞愧的心會令我交給你。我期望，當你看到的時候，你已有另一個愛你的人。

July 24, 2007

「發生在你身上的事，沒有一件是負面的。不論你的命運如何，不論多糟的事情發生了，你告訴自己：「這就是我需要的。」

雅亭，謝謝你曾給我的愛。往前走吧！再見！

嚴雅亭明白他最後的話。字裏行間，他沒有乞求她的原諒，這使得她真正的釋懷了。在愛情關係出現逆轉的時候，一個人若無法找到新的愛，生命能量又被剝奪殆盡的話，痛苦的反應會持續出現。幸好她的心靈知道怎麼去療傷，縱使那漫長的過程確實是萬分艱苦的。有時候，療傷的過程比最初的傷害更大，但嚴雅亭已一一承受了，她已在不知不覺間變得堅強。

「阿遠，你用尼采的一句話換取了我的原諒！你太高明了，你已讓我不能也不忍心再恨你了。」

之後，她把屬於她的日記丟到海裏歸還給他。她要在這原本他想跟利亞定居的地方來一場海祭——

「再見了！從今天起，我答應你，我只會保留屬於我們最美好的回憶！安息吧！」

嚴雅亭的眼淚流光了。她戴上了韓進的戒指，意味自己跟過去正式切斷。她任由海風吹拂自己的臉，讓思緒更清醒。豈料，韓進竟傳來這樣的SMS——

（進）你一聲不響就離開我。我不會再等。我要跟你說再見！我走了！再見！

韓進要離開了，嚴雅亭焦急得打電話給他，但信號就是接不通。此時，卡亞俄市的上空忽然燃點漫天煙火！

她呆了。煙花照亮了天空，也照亮了原本暗黑的四周。這時，韓進打電話來！她緊張得有點呼吸困難：「你在哪裏？」

「我在哪裏你會關心嗎？」

「我很想你。我這兒在放煙花，我多麼希望你能跟我一起看。」

「煙花的吸引力似乎比我還大，我在你內心眞的是……什麼都比不上。」

「你在說什麼？你是在我附近嗎？」

嚴雅亭猜得對，他確實在附近。一對兩情相悅的人，心靈自是相通！韓進在旅館根本沒有沉睡，嚴雅亭關上門的時候，他已經醒來，還從利瑪一直追隨她來到這兒。

配樂　**方大同《黑洞裏》（純音樂）**

「是，我在附近，煙火的確很漂亮。」

「進，快告訴我你的確實位置……」嚴雅亭邊問邊四處張望，但人群愈來愈多，從各方湧現的人潮前往不遠處的市集欣賞煙花匯演。

茫茫人海，兩個人一直尋尋覓覓，歷時兩年，明明找到了，爲什麼再次讓對方消失在視線裏？

「進，請不要作弄我，我愛你！」

「你肯定你說的話？」

她不再說話，這次她仿傚他，先給對方一個 SMS－

（亭）　阿進，這是答案「來」的意思——此字象徵着兩人同行木已成舟，除非已經結影成雙，否則只欠一個機會而已，既是如此還在等什麼？「來」字中的「木」與現在的夏令時節，剛好是五行相生的吉相，只要停止猶豫，兩人的感情發展將如乾柴烈火般一發不可收拾！情人對你的鍾情指數竟達99%。

她發出去了。很快，韓進收到信息後，吻了吻手機的屏幕，嚴雅亭的慧黠，總教他怦然心動。

第二段的煙花表演又告開始了，引來人們熱烈歡呼。但韓進、嚴雅亭互相思念，二人只想穿過眼前的人群尋覓對方，同一時間，閃爍不停的煙花劃破長空，上空傳來一聲隆然巨響，嚴雅亭本能的用手掩耳，還往後退了一步，幸好，就是這一步，讓她的手肘輕輕碰到他的背－

韓進回過頭來，在璨麗的花火下認出那枚原屬於他、如今戴在她無名指上的橢圓形戒指……

片尾曲　成起京《認識的女人아는 여자》（純音樂）

後記

想知道韓進愛情測試題的其他答案嗎？韓進和嚴雅亭不約而同憑直覺選了「來」字，有可能是他們其中一人只記得「來」是最後的答案，更有可能是天意。

男：感情將會十分辛苦

選這個字表示你的戀情可能會有點辛苦喔！

因爲一畝「田」以一人的「力」量耕作，

雖然終會有結果，但過程卻顯得頗爲費力。

「田、力」二字何者爲男，與「難」音相仿，

所以這個字可說是困難重重呀！而以時令來說，

現在已是入夏，早就過了耕耘期，可見得你暗戀他已久，

只是一拖再拖，除非等到來年（或等他結束現在戀情或克服眼前的阻礙）再看看機遇囉！

他對你的鍾情指數只有10%

孩：落花有意流水無情

此字暗藏子亥之水，若問他對你是否有意，只能說落花有意流水無情。

因爲此字的他孩子氣還很重，不太懂得憐香惜玉，就算有傳說過他的戀情事件，多半也是不了了之，而且他跟你的相處多半是哥兒們情誼，想談到進一步的感情問題可眞是很困難呢！

除非你願意等他再成熟些……不過，保母與奶媽不好當喔！

他對你的鍾情指數只有5%

照：極有可能陷入熱戀

這個字象徵着日正當中的吉兆，代表着他對你早就鍾情許久了，只差你點頭暗示，你們此時的心意就像兩把烈火，將愈燒愈旺呢！

所以說這是一個最佳的感情占卜，因爲此字由「日」和「火」所構成，而現在節令剛好入夏屬火，正好是兩人陷入熱戀的好時機。

唯一要當心預防的是「照」字右邊見刀封口，代表兩人容易有口角紛爭的情況，是美中不足的地方，記得凡事別逞口舌之快傷害了彼此。

他對你的鍾情指數達到80%

過：正享受着自由自在的生活

「過」字的右邊如果換上金部是「鍋」，代表着盛食物的器皿，也就是說你目前所處的情況正好是空窗期，就像等待盛裝的空盆一樣，你並不急於成雙成對，雖然嘴上嚷嚷，但是心情與心理尚未準備好。

也或許是你對於你喜歡的對象，目前只是欣賞而已，還不到想成爲戀人的程度。

因此他是不是對你有意，對你來說又好像並不是非常重要。

嗯！想多玩玩再說，才是你目前的眞心情吧！

他對你的鍾情指數只達 30%

暗戀女主播

作　　者：劉　晴
責任編輯：陳桂芬
封面及內文插圖：JOYSUKE
封面設計：李錦興
出　　版：日閱堂出版社
發　　行：明報出版社有限公司
香港柴灣嘉業街18號
明報工業中心A座15樓
電話：2595 3215　　傳真：2898 2646
網址：http://books.mingpao.com/
電子郵箱：mpp@mingpao.com
版　　次：二〇〇九年十月初版
I S B N：978-988-8026-71-5
承　　印：美雅印刷製本有限公司